L'ÉDITION ORIGINALE DE CET OUVRAGE COMPREND, OUTRE LE TEXTE DE LA PIÈCE ELLE-MÊME, QUATRE ILLUSTRATIONS DE CHARLES SHOUP.

ELLE A ÉTÉ TIRÉE DANS LE FORMAT IN-8º ÉCU A :

25 EXEMPLAIRES SUR PAPIER DES MANUFACTURES IMPÉRIALES DU JAPON, DONT 15 EXEMPLAIRES, NUMÉROTÉS DE J. 1 A J. 15, ET 10 HORS COMMERCE, MARQUÉS H. C. J. 1 A H. C. J. 10 ;

35 EXEMPLAIRES SUR PAPIER DE HOLLANDE VAN GELDER, DONT 25 EXEMPLAIRES, NUMÉROTÉS DE H. 1 A H. 25, ET 10 HORS COMMERCE, MARQUÉS H. C. H. 1 A H. C. H. 10 ;

70 EXEMPLAIRES SUR PAPIER PUR FIL DES PAPETERIES LAFUMA, A VOIRON, DONT 60 EXEMPLAIRES, NUMÉROTÉS DE L. 1 A L. 60, ET 10 HORS COMMERCE, MARQUÉS H. C. L. 1 A H. C. L. 10 ;

350 EXEMPLAIRES SUR PAPIER D'ALFA MOUSSE DES PAPETERIES NAVARRE, DONT 175 EXEMPLAIRES RÉSERVÉS AUX BIBLIOPHILES DES SÉLECTIONS LARDANCHET, NUMÉROTÉS DE S. L. 1 A S. L. 175, 100 EXEMPLAIRES RÉSERVÉS A LA BIBLIOTHÈQUE DES CONTEMPORAINS DES ÉDITIONS DE L'EMPIRE, A ALGER, ET NUMÉROTÉS B. C. 1 A B. C. 100, ET 50 HORS COMMERCE, MARQUÉS H. C. A. 1 A H. C. A. 50.

For John Pick
with best wishes from
Julian Green

L'OMBRE

OUVRAGES DU MÊME AUTEUR :

Mont-Cinère. Roman. 20e mille.
Édition originale dans la collection *l'Aubier. (Épuisé)*.
Un volume in-8° dans la collection *l'Abeille-Garance*, avec une eau-forte d'Alexeïeff. Tiré à 1 200 exemplaires numérotés sur papier vélin du Marais. *(Épuisé)*.

Adrienne Mesurat. Roman. 54e mille.
Édition originale dans la collection *le Roseau d'or. (Épuisé)*.
(Prix Paul Flat, Académie française 1928.) - *(Prix Bookman.)*

Léviathan. Roman. 51e mille.
Édition originale dans la collection *le Roseau d'or. (Épuisé)*.
(Prix Harper.)

Le Voyageur sur la terre. Nouvelles. 30e mille.

Épaves. Roman. 34e mille.
Édition originale dans la collection *La Palatine. (Épuisé)*.

Le Visionnaire. Roman. 29e mille.
Édition originale dans la collection *La Palatine. (Épuisé)*.

Minuit. Roman. 26e mille.
Édition originale dans la collection *La Palatine. (Épuisé)*.

Le Malfaiteur. Roman.

Journal (1928-1934). 20e mille.
Édition originale dans la collection *La Palatine. (Épuisé)*.

Journal (1935-1939). 19e mille.
Édition originale dans la collection *La Palatine. (Épuisé)*.

Journal (1940-1943). 18e mille.
Édition originale dans la collection *l'Épi*.

Journal (1943-1945). 11e mille.
Édition originale dans la collection *l'Épi*.

Journal (1946-1950). 11e mille.
Édition originale dans la collection *l'Épi*.

Journal (1950-1954).
Édition originale dans la collection *l'Épi*.

Varouna. Roman. 23e mille.
Édition originale dans la collection *La Palatine. (Épuisé)*.

Si j'étais vous... Roman. 20e mille.
Édition originale dans la collection *Originales*.

Moïra. Roman. 55e mille.
Édition originale dans la collection *l'Épi. (Épuisé)*.

Sud. Pièce en trois actes. 10e mille.
Édition originale sur alfa mousse avec 4 illustrations de Charles Shoup.

L'ennemi. Pièce en 3 actes et 4 tableaux. 6e mille.
Édition originale sur alfa avec illustrations de Daniel Louradour.

L'autre sommeil. *La Palatine*.

Œuvres complètes. Illustrations de Denise de Bravura. Sur roto blanc.

Journal I (1928-1939).	**Romans II (1927-1929).**
Journal II (1940-1945).	**Romans III (1930-1934).**
Romans I (1924-1927).	**Romans IV (1936-1937).**

Sous le pseudonyme de Théophile DELAPORTE :
Pamphlet contre les catholiques de France.

AUX CAHIERS DE PARIS :
Suite anglaise.

JULIEN GREEN

L'OMBRE

Pièce en trois actes

Paris
LIBRAIRIE PLON
LES PETITS-FILS DE PLON ET NOURRIT
Imprimeurs-Éditeurs - 8, rue Garancière, 6ᵉ

© 1956 by Librairie Plon.

Droits de reproduction et de traduction réservés pour tous pays, y compris l'U. R. S. S.

PERSONNAGES

Philip Anderson.......	Environ 40 ans.
John Anderson........	38 ans, frère du précédent.
James Ferris..........	Même âge que Philip Anderson.
David Grey...........	Fils de James Ferris (son vrai nom est Joël Ferris), 20 ans.
Millin................	Vieux domestique des Anderson.
Brimstone............	
Pelham...............	de 40 à 50 ans.
Bright................	
Escridge..............	
Fribble...............	35 ans.
Le révérend Maudlin .	Pasteur.
Le capitaine Killigrew.	25 ans.
Mrs. Anderson........	40 ans. Seconde femme de Philip Anderson.
Lucile Anderson......	18 ans, fille de Philip Anderson par un premier mariage.
Dora Brimstone.......	Femme de Brimstone.
Mrs. Escridge.........	
Mrs. Pelham..........	Environ 40 ans.
Mrs. Bright...........	
Mrs. Maudlin.........	
Katie Boley..........	30 ans.
Mrs. Stoat...........	45 ans environ.

Le premier acte se passe en décembre 1888, chez les Brimstone dans une grande ville de province, peut-être Liverpool. Les deux autres actes se passent à Edgware Place, chez les Anderson, à trente ou quarante kilomètres de la ville.

L'OMBRE
a été représentée pour la première fois
au théâtre *Antoine*
le 19 septembre 1956.

———

Mise en scène de M. Jean MEYER.

———

Décors et costumes de Mme Suzanne LALIQUE.

DISTRIBUTION

par ordre d'entrée en scène

Katie Boley	Perrette SOUPLEX.
Mrs. Stoat	Germaine GRAINVAL.
Mrs. Brimstone	JANY MOUREY.
Mrs. Bright	Michelle MARCEY.
Mrs. Escridge	Suzanne GREY.
Mrs. Pelham	Odile MALLET.
Lucile Anderson	Marie VERSINI.
Edith Anderson	Renée DEVILLERS.
Brimstone	René LEFÈVRE-BEL.
Philip Anderson	Jean CHEVRIER.
John Anderson	Jacques CASTELOT.
Bright	Claude d'YD.
Pelham	Jean LEUVRAIS.
Escridge	Gérard DALTONE.
Fribble	Claude BOSSAC.
Mrs. Fribble	Véra PHARÈS.
Le Révérend Maudlin	Jean SYLVÈRE.
Mrs. Maudlin	Annick FOUGERY.
Captain Killigrew	Michel LE ROYER.
James Ferris	Paul BERNARD.
Millin	Paul HIGONINE.
David Grey	Jean-Louis TRINTIGNANT.
Bruce Douglas	Maurice DORLÉAC.

ACTE I

La scène est divisée de telle sorte qu'on voit à la fois un grand salon à droite, et un petit salon à gauche, les deux étant séparés par une portière qui, pour le moment, est à moitié tirée; mais il faut que les spectateurs puissent voir à la fois dans l'une et l'autre pièce. Au fond du grand salon une porte, et, à droite, une autre porte. Des meubles dans le goût de l'époque, mais du pittoresque. Tout est confortable. Nous sommes chez de riches bourgeois. Au lever du rideau, Katie Boley est pelotonnée dans un vaste fauteuil à capitons et tourne à moitié le dos au petit salon où Mrs. Stoat met de l'ordre.

KATIE BOLEY

Vous êtes toujours là, Mrs. Stoat?

MRS. STOAT

Et où voulez-vous que je sois?

KATIE BOLEY

Qu'est-ce que vous faites?

MRS. STOAT

Pour le moment, je remonte le gaz.

(*En effet, elle remonte la lumière des chandeliers à gaz à droite et à gauche de la cheminée.*)

KATIE BOLEY

Moi, je pense à tout ce que vous m'avez dit. C'est tout de même une drôle d'histoire.

MRS. STOAT

Vous n'étiez pas ici à l'époque. Vous ne pouvez pas savoir le bruit que ça a fait. L'erreur qu'ils ont commise a été de se cacher. Quand on se cache, on a l'air coupable. Il fallait se montrer.

KATIE BOLEY

Oui, oui. Vous dites toujours ça... Oh, qu'on est bien dans le fauteuil de Mr. Brimstone ! Capitons par-ci, capitons par-là, sous les épaules, sous les bras, sous les reins. Pour un peu je ferais un somme. Je n'ai pas du tout envie d'aller attendre l'omnibus au coin de la rue, dans la nuit et le froid.

MRS. STOAT, *passant du petit salon dans le grand.*

Vous serez chez vous dans une heure, bien au chaud dans votre bonne petite chambre.

KATIE BOLEY, *doucement*.

Je déteste ma bonne petite chambre. Ce soir surtout. Je voudrais pouvoir me cacher ici, derrière un meuble, pour tout voir.

MRS. STOAT

Il va pourtant falloir vous en aller, Katie Boley. Dans un instant, ils vont revenir et s'ils nous trouvaient ici, quelle histoire demain matin !

KATIE BOLEY

Nous ne faisons rien.

MRS. STOAT

Notre place n'est pas au salon. Vous ne connaissez pas Madame.

KATIE BOLEY

Je travaille pour Madame depuis huit ans, je me crève les yeux à coudre pour Madame. La place de Madame est auprès du diable.

MRS. STOAT

Ce n'est pas son opinion. Elle se verrait plutôt au paradis, avec une harpe et des ailes. A l'heure qu'il est, elle est dans son rôle d'ange de la paix. Elle répand sa bénédiction sur ses invités comme on arrose des pots de fleurs avec un broc d'eau. Je ne sais si ça leur plaît, mais elle s'amuse bien. Depuis le temps qu'elle le prépare son fameux dîner...

KATIE BOLEY

Il est en train de rater.

MRS. STOAT

Qu'est-ce qui vous fait dire ça?

KATIE BOLEY

Je le sens.

MRS. STOAT

Moi, je ne suis pas de votre avis. Il y a plusieurs invités qui voudraient bien passer l'éponge et recevoir à leur tour ce monsieur qui a tant fait parler de lui, mais ils n'osent pas.

KATIE BOLEY

On dit que l'autre va venir aussi.

MRS. STOAT

Oh, ça m'étonnerait. Il est trop malade.

KATIE BOLEY

En tout cas, lui est venu.

MRS. STOAT

Oui, Mr. Anderson est là.

KATIE BOLEY

Mrs. Stoat!

MRS. STOAT

Qu'y a-t-il?

KATIE BOLEY

Soyez gentille. Dites-moi encore une fois de quoi il a l'air.

MRS. STOAT

Mr. Anderson? C'est un homme comme un autre.

KATIE BOLEY, *se levant d'un coup*.

Oh, Mrs. Stoat, un homme qui a tué sa femme n'est pas un homme comme un autre! Moi, je le vois très bel homme, Mr. Anderson, avec une barbe.

MRS. STOAT

Le fait est qu'il a une barbe. Mais beaucoup d'hommes ont une barbe.

KATIE BOLEY

La barbe de Mr. Anderson n'est pas comme les autres barbes!

(*Elle saisit la main de Mrs. Stoat.*)

Mrs. Stoat, je comprends qu'on soit amoureuse de Mr. Anderson. Il devait être terrible à voir lorsqu'il a perpétré son crime !

MRS. STOAT

Vous êtes folle, Katie Boley, et inconvenante. D'abord, il n'a jamais été prouvé qu'il ait tué sa femme et la justice l'a laissé tranquille.

KATIE BOLEY

Mrs. Stoat, quand trois personnes vont se promener le long d'une falaise et qu'il n'en revient que deux, on aura beau me parler d'accident, je ne crois pas à certains accidents.

MRS. STOAT

C'est que vous avez une imagination romantique et déréglée. Le bon sens devrait vous dire que si Mr. Anderson avait voulu pousser sa femme du haut d'une falaise, il ne l'aurait pas fait devant un témoin. Or Mr. Ferris était avec lui.

KATIE BOLEY

J'ai des doutes sur Mr. Ferris.

MRS. STOAT

Vous reconstruisez tout cela à votre manière. La vérité est que Mr. Anderson adorait sa première femme.

KATIE BOLEY

C'était une petite personne insignifiante, à ce qu'on m'a dit, et une papiste par-dessus le marché. Il paraît qu'elle avait dans sa chambre une statue de plâtre et qu'elle se mettait à genoux devant, exactement comme les païens devant leurs idoles. Je comprends qu'il l'ait tuée.

MRS. STOAT

Je ne sais si elle adorait une statue de plâtre, mais je la voyais quelquefois en ville. Elle était comme tout le monde, mais plus douce, très douce même. En tout cas, la seconde Mrs. Anderson est bonne protestante.

(Elle va entrouvrir la porte de droite, et écoute.)

Ils doivent en être au dessert, la fameuse glace à la pistache qu'on fait venir de chez le confiseur.

KATIE BOLEY

Et après, ils vont manger des anchois sur des petits morceaux de pain grillé. Alors, Mr. Anderson va se lisser la moustache comme un matou.

(Avec admiration.)

L'assassin !

MRS. STOAT, *elle referme la porte.*

Taisez-vous, Katie Boley! Avec votre voix glapissante, vous allez m'attirer une tempête. Madame n'est pas sourde.

KATIE BOLEY

Oh, elle ne peut pas nous entendre de l'autre côté de l'antichambre. Je vous promets de me taire, mais laissez-moi écouter un peu à la porte de la salle à manger.

MRS. STOAT

Écouter à la porte de la salle à manger! Jamais je ne permettrai qu'on fasse une chose aussi honteuse devant moi.

KATIE BOLEY, *courant à la porte de droite.*

Laissez-moi au moins entrouvrir cette porte-ci.
(*Elle entrouvre la porte et écoute.*)
On n'entend rien. Ils ne disent pas un mot.

MRS. STOAT

Ils mangent.
(*Elle saisit Katie Boley par la main.*)
Allons, tirez-vous de là. Vous m'agacez à la fin.

KATIE BOLEY, *sautant sur place*.

Elle va rater la grande réconciliation qu'ils mijotent depuis trois mois, vous allez voir.

MRS. STOAT

Mais pourquoi voulez-vous qu'elle rate, mauvaise femme ?

KATIE BOLEY

Parce que. C'était mieux avant. Personne ne voyait Mr. Anderson et Mr. Anderson ne voyait personne. Il était là-bas, dans sa maison, à Edgware, et on ne lui parlait pas. Maintenant, si tout le monde le voit, ce ne sera plus la même chose. Il sera à tout le monde.

MRS. STOAT

Et à qui est-il maintenant, folle ? A vous ou à sa femme ?

KATIE BOLEY

Sa seconde femme ?

(*Riant.*)

Elle y passera comme la première.

MRS. STOAT

Et moi je vous dis qu'il ne l'a pas tuée, sa première femme.

KATIE BOLEY

N'empêche qu'après sa mort, il est allé se terrer à la campagne. Vous avez dit vous-même qu'il n'aurait pas dû.

MRS. STOAT

C'est que des mauvaises langues comme vous lui rendaient la vie impossible en ville.

KATIE BOLEY, *les poings sur les hanches.*

Alors des femmes comme moi, ça peut vous chasser un homme de la ville !

MRS. STOAT, *l'oreille à la porte entrouverte.*

Les anchois ! J'entends les assiettes qu'on change. Sauvez-vous !

KATIE BOLEY

Non !

MRS. STOAT, *la prenant par le bras
et la traînant vers la porte du fond.*

Hors d'ici !

(Elle la met à la porte, revient, jette les yeux autour d'elle, hésite, soupire, et d'un pas majestueux va vers la porte de droite qu'elle ouvre, et disparaît. La porte du fond s'ouvre alors très douce-

*ment et Katie Boley entre et se met au
milieu du salon de manière à regarder ce
qui se passe dans la pièce de droite qu'on ne
voit pas. Les jambes écartées, elle croise
les bras, hoche la tête et dit à mi-voix.)*

KATIE BOLEY

Non seulement on écoute, mais on regarde par le trou de la serrure.

(Silence, puis plus haut.)

Il est beau, n'est-ce pas, avec sa barbe?

*(On entend un bruit de pas. Katie Boley
se sauve, Mrs. Stoat rentre au salon,
ferme la porte de droite derrière elle et
court vers la porte du fond.)*

MRS. STOAT

Misérable! Voilà ce que c'est que de recevoir ici des gens qui ne sont pas de notre monde.

*(Elle disparaît par la porte du fond
qu'elle referme ; au même instant s'ouvre
la porte de droite, livrant passage
à Mrs. Anderson, Mrs. Pelham,
Mrs. Bright, Mrs. Escridge, puis Lucile Anderson avec Mrs. Brimstone.)*

MRS. BRIMSTONE, *riant, à Mrs. Escridge.*

A vous entendre, Léonora, le temps qu'exige

la combustion de leurs cigares est une sorte de récréation que nos maris nous accordent après dîner.

MRS. BRIGHT

Elle ne durera guère plus de quelques minutes.

MRS. ESCRIDGE

Je ne sais pourquoi, il me semble que nous devrions employer ce... répit à nous dire toutes sortes de choses qu'ils ne doivent pas entendre.

MRS. PELHAM

Voilà une idée que je trouve fameuse. Et de quoi allons-nous parler?

MRS. ESCRIDGE

Maintenant que vous me le demandez et que tout le monde m'écoute je n'ose plus ouvrir la bouche; mais je suis sûre qu'à côté on a beaucoup à se dire.

MRS. PELHAM

Détrompez-vous, ma belle. Les Anglais n'ont rien à se dire. Sans doute ont-ils dû se confier tout ce qu'ils avaient sur le cœur d'un seul coup, à une époque reculée de notre histoire... avant l'arrivée de Guillaume le Conquérant,

mais aujourd'hui, vous en mettez deux, quatre
ou six les uns en face des autres et tout ce qu'ils
savent faire est de se regarder en silence à travers des nuages de fumée.

MRS. ESCRIDGE

Je croyais qu'ils profitaient de notre absence
pour échanger des propos un peu libres.

MRS. PELHAM

Non, ils se sont dit tout cela avant la conquête, et maintenant, ils le ruminent.

> *(Pendant cette conversation, Mrs. Bright
> et Mrs. Pelham se sont insensiblement
> écartées de Mrs. Anderson et de sa fille
> qui se tiennent debout vers la gauche.
> Mrs. Escridge, après une hésitation, va
> vers la droite. Mrs. Anderson jette un
> coup d'œil dans une glace et fait mine
> de se joindre aux autres invitées. Lucile
> lui touche le bras.)*

LUCILE, *à Mrs. Anderson, bas.*

Personne n'a dit un mot à papa pendant le
dîner, sauf Mr. et Mrs. Brimstone. Vous ne
trouvez pas cela étrange?

MRS. ANDERSON, *de même.*

Il y a encore une certaine gêne, mais elle se

dissipera. Va t'asseoir près de Mrs. Pelham et parle-lui de son jardin.

(A Mrs. Brimstone qui vient vers elle.)

Rien n'a changé dans la vieille maison depuis ma dernière visite. Il me semble que nous sommes reportées des années en arrière.

(Elle fait un léger signe à Lucile qui va vers la droite.)

MRS. BRIMSTONE

Vous étiez charmante, ce jour-là, Edith. Je me souviens que vous aviez une toilette de taffetas gris perle...

(Elle jette un coup d'œil vers Lucile Anderson qui s'éloigne.)

...et un petit bouquet de roses blanches.

(Plus bas.)

Je crois que cela ne se présente pas mal. Mrs. Escridge vient de me dire qu'elle vous aimait beaucoup.

MRS. ANDERSON

J'aimerais mieux que ce sentiment fût celui de Mrs. Bright, je l'avoue. Elle me paraît beaucoup plus redoutable que Mrs. Escridge qui pense du bien de tout le monde. Je tremble, vous savez.

MRS. BRIMSTONE

Oh, ne soyez pas inquiète, ma chère petite. Votre mari sait plaire à qui il veut.

MRS. ANDERSON

Hélas, il n'ouvre pas la bouche. Depuis si longtemps, nous parlions de cette soirée qui devait tout arranger... Il vous était si reconnaissant... Mais je ne sais ce qui lui a pris. Il ne dit rien.

MRS. BRIMSTONE

Il se ressaisira tout à l'heure. Votre mari est un homme un peu... farouche. Mettez-vous à sa place, Edith : revoir après dix ans toutes ces personnes qu'il avait fuies et qui ne lui en veulent pas le moins du monde, du reste.

MRS. ANDERSON

Que ne puis-je en être aussi sûre que vous ! Il me tarde que cette porte s'ouvre...

(Avec son éventail, elle désigne d'un geste à peine perceptible la porte de droite.

...et qu'il revienne ici. Savez-vous l'effet que me fait cette porte?

MRS. BRIMSTONE

Cette porte-là?

(Elle désigne la porte en tournant la tête.)
Mais non.

MRS. ANDERSON

Oh, je ne devrais pas vous le dire. C'est si bête.

MRS. BRIMSTONE

Vous pouvez vous confier à moi, mon enfant. Tout ce qui vous touche me tient tellement à cœur.

MRS. ANDERSON, *elle lui serre la main.*

Eh bien, c'est plus fort que moi. Je pense, à cause de tous ces hommes réunis là-bas, derrière cette porte fermée — à des gens qui délibèrent.

MRS. BRIMSTONE

Qui délibèrent?

MRS. ANDERSON

Oui. N'est-ce pas absurde? Je pense à un jury.

MRS. BRIMSTONE

Par exemple! Mais, ma pauvre Edith, où allez-vous chercher des idées aussi folles? Personne ne songe plus à cette vieille histoire. Votre mari et Mr. Ferris ont fourni les explications les plus raisonnables et tout cela est effacé. Allons, allons! Je ne veux pas que les soucis rident ce joli front. A partir de ce soir, vous oubliez tout. Je désire que vous sortiez de cette maison en paix, en paix avec le monde.

MRS. ANDERSON

Si nous étions seules, je crois qu'il me serait difficile de dominer mon émotion. Votre bonté est extrême.

MRS. BRIMSTONE, *riant*.

Comme vous exagérez! Vous en feriez tout autant pour moi. J'espère que vous allez quitter la campagne et venir vous installer en ville.

MRS. ANDERSON

Vous savez que c'est mon rêve, mais cela dépend de mon mari.

(Bref silence.)

Cela dépend aussi beaucoup de cette soirée.

MRS. BRIMSTONE

Alors, je suis tranquille. Vous devez vous ennuyer un peu là-bas, à Edgware Place?

MRS. ANDERSON

Mon mari est très attaché à la vieille maison. Peut-être savez-vous qu'elle appartient à sa famille depuis près de cent cinquante ans...

mrs. BRIMSTONE, *un peu agacée*.

Je sais.

mrs. ANDERSON

Pour moi, cela n'a pas beaucoup d'importance, mais il y tient, je veux dire qu'il tient à ces vieilles pierres, à ses meubles, enfin à tout ce décor. Je vous parle à cœur ouvert, vous le voyez.

mrs. BRIMSTONE

Vous ne sauriez parler à une personne plus attentive, plus affectueusement attentive...

mrs. ANDERSON

Nous avons des difficultés avec nos domestiques. Ceci tout à fait entre nous. Au bout de quelques mois, ils nous quittent. Récemment encore, le valet de chambre de mon mari... Nous cherchons quelqu'un pour le remplacer.

mrs. BRIMSTONE

C'est qu'Edgware Place est loin de la ville, et les domestiques ont besoin d'aller s'amuser.

mrs. ANDERSON

J'ai cru cela autrefois, mais à présent je me demande s'il n'y a pas autre chose, si ce n'est pas cette vieille histoire dont le souvenir persiste dans l'esprit de ces gens, et qui nous a tellement nui.

MRS. BRIMSTONE

Vous imaginez toutes sortes de choses! J'allais oublier de vous dire, et c'est même pour cela que je vous ai prise à part, que j'ai invité quelques personnes à finir la soirée avec nous.

MRS. ANDERSON, *inquiète*.

Quelques personnes?

MRS. BRIMSTONE

Oh, des amis, de vieux amis, des gens que vous connaissez. Rien à craindre. Plus il y en aura, mieux cela vaudra. Je veux que la réconciliation soit totale.
*(Plus haut
et se tournant vers la droite.)*

Mais je crois qu'on s'ennuie de vous là-bas et qu'on commence à me trouver bien égoïste de vous garder pour moi toute seule.
*(Elles se lèvent
et vont se joindre aux invitées.)*

MRS. BRIGHT, *à Mrs. Brimstone*.

Venez vous asseoir près de moi, Dora. Vous avez un air qui ne me dit rien qui vaille, un air à la fois sage et sournois qui me rappelle nos années de collège et les farces que vous nous jouiez.

MRS. BRIMSTONE, *à Mrs. Anderson.*

Fanny Bright passe son temps à me taquiner.

> (*Elle lui désigne un siège; Mrs. Bright se détourne légèrement de Mrs. Anderson et parle à Mrs. Brimstone; Mrs. Anderson au lieu de prendre le siège que lui a désigné Mrs. Brimstone va s'asseoir entre Mrs. Pelham et Mrs. Escridge.*)

MRS. ANDERSON, *à Mrs. Pelham.*

Il faut que je vous demande un conseil. Mes rosiers dont j'étais si fière sont dans un état effroyable...

MRS. PELHAM, *se levant.*

Mon jardinier vous dira ce qu'il faut faire.

> (*Elle va s'asseoir près de Mrs. Brimstone et de Mrs. Bright. A Mrs. Brimstone.*)

Dora, tu es un amour. Cette idée de nous réunir est charmante. Dora, Fanny et Judith, les inséparables, les trois rebelles, comme nous appelaient nos maîtresses...

(A Mrs. Brimstone.)

Tu te souviens de notre succès dans cette représentation en plein air de *Macbeth?* On frissonnait. Dis-moi, sorcière, qu'est-ce que tu vois dans ton chaudron?

(La porte de droite s'ouvre. Entrent Philip Anderson, Mr. Bright, Mr. Pelham, Mr. Escridge, John Anderson et Mr. Brimstone.)

MR. BRIMSTONE

Mesdames, la vie n'est pas tolérable sans vous. Il faut en venir à cette conclusion, puisque les enragés fumeurs que nous sommes renoncent au tabac pour le plaisir de vous voir.

(Il se dirige vers les dames avec ses invités. Philip Anderson s'écarte avec son frère et va vers la gauche.)

PHILIP ANDERSON, *à son frère.*

Tu as entendu ce que Brimstone a dit au sujet de James Ferris?

JOHN ANDERSON

Oui. James Ferris doit venir tout à l'heure. Cela n'a aucune importance.

PHILIP ANDERSON

Tu trouves? Nous sommes tombés dans un

piège, un piège ridicule. Tout le monde sait que Ferris et moi sommes brouillés pour toujours.

JOHN ANDERSON

Bien entendu, mais comme nous sommes ici pour nous réconcilier avec les personnalités les plus marquantes de la ville, il est tout naturel que James Ferris soit présent.

PHILIP ANDERSON

Me réconcilier avec des gens qui m'ont battu froid est une chose. Me réconcilier avec mon ennemi en est une autre. Inviter cet homme est une trahison. Je ne lui serrerai pas la main.

JOHN ANDERSON

Tu ne peux pas faire un éclat. Ce serait anéantir nos projets d'un seul coup. Serrer la main de Ferris n'est qu'un geste sans conséquence. Vous en resterez là et les apparences seront sauvées.

PHILIP ANDERSON

Tu peux être certain que tous ces gens attendent la minute de notre rencontre avec une sorte d'avidité. Ils ont sûrement été prévenus. Moi seul ne l'étais pas. Si je m'écoutais, je partirais immédiatement.

JOHN ANDERSON

Tu ne le peux pas.

PHILIP ANDERSON

Je ne le peux pas, parce que j'ai une fille à marier. Allons rejoindre ces imbéciles.

> *(Ils vont vers la droite, Mr. Bright et Mr. Pelham se détachent du groupe et passent vers la gauche.)*

MR. BRIGHT

Je crains que cela ne soit pas possible et que nous ne soyons volés.

MR. PELHAM

Volés à demi seulement, car enfin c'est quelque chose de pouvoir observer le comportement du mari. Je dois dire que je le trouve plus ferme que la rumeur ne le donnait à croire. On le prétendait si abattu, si diminué.

MR. BRIGHT

Oh, devant la galerie on trouve toujours le courage de crâner. Vous le verriez proprement s'effondrer devant son complice. Malheureusement, Ferris est trop malade pour sortir. C'est ce que les Brimstone ne savent pas, mais j'en ai eu l'assurance tout à l'heure par un ami du médecin qui s'occupe de lui.

MR. PELHAM

Il y a des miracles de la volonté et Ferris a grande envie de venir.

MR. BRIGHT

Il y a des miracles de la volonté, mais Ferris est perdu, mon cher.

> *(Un domestique entre avec un plateau chargé de tasses de thé. Insensiblement les invités se séparent en petits groupes. Mr. Pelham et Mr. Bright passent à droite.)*

MRS. BRIMSTONE, *à Philip Anderson.*

Mr. Anderson, vous avez dû trouver votre ville bien différente de celle que vous avez connue du temps que vous y habitiez.

PHILIP ANDERSON

A vrai dire, madame, elle m'a toujours paru un peu morne et le développement industriel ne l'a pas embellie à mes yeux.

MRS. ANDERSON, *vivement.*

Il y a beaucoup plus de magasins qu'autrefois, et des maisons qui ont disparu.

LUCILE ANDERSON

Mais beaucoup plus de monde partout...

MRS. BRIGHT

Et des gens qui ne vous connaissent pas, sans doute.

LUCILE ANDERSON, *interdite*.

Oui.

JOHN ANDERSON, *à Mr. Bright*.

Il me semble qu'on a abattu des arbres dans le jardin public du côté de la gare.

MR. BRIGHT, *sèchement*.

Non, monsieur.

MR. PELHAM

Jamais nos arbres n'ont été plus beaux, plus vigoureux, ni plus sains depuis...

(Riant.)

...ma foi, depuis dix ans.

MRS. ESCRIDGE, *riant*.

Oh, Mr. Pelham, vous avez l'air de croire que du temps que Mr. Anderson vivait ici, nos arbres se portaient moins bien.

MR. BRIGHT

Mrs. Escridge a souvent des vues fort ingénieuses.

PHILIP ANDERSON, *à Mr. Bright*.

Que voulez-vous dire?

MRS. BRIMSTONE, *vivement*.

Mr. Bright a toujours adoré l'ironie, les propos obscurs, les rébus. Il a de plus un talent marqué pour les charades. Si nous étions plus jeunes —

(A Lucile Anderson.)

je ne dis pas cela pour vous — je proposerais que nous jouions tous aux charades.

(Elle lance un regard furieux à Mrs. Escridge.)

MRS. ESCRIDGE, *à mi-voix*.

Qu'est-ce que j'ai dit?

MR. BRIMSTONE

Oh, les charades... la vie est une longue charade dont le sens...

(Philip Anderson tourne les talons et s'éloigne.)

... ne nous sera donné que dans l'autre monde. Mon cher Bright, je crains que Mr. Anderson ne vous porte pas dans son cœur, ni vous, John Pelham.

MR. BRIGHT

Je n'ai pas peur de cet homme.

MR. PELHAM

Ni moi non plus. Nous sommes d'honnêtes gens.

MR. BRIGHT

Remarquez que nous ne disions rien d'offensant, mais la conscience d'un homme coupable — si tant est qu'elle puisse encore se faire entendre — donne un sens particulier aux phrases les plus ordinaires. Qu'est-ce que dit Shakespeare? La conscience...

MR. BRIMSTONE

Je ne sais pas ce que dit Shakespeare. Il m'a toujours ennuyé à mourir.

(*A Mrs. Escridge.*)

Si votre mari n'était pas si près de nous, je vous ferais une petite semonce. Si, si. Et je vous comparerais ensuite à une rose.

MRS. ESCRIDGE, *riant*.

Une rose? Justement, je parlais à Mrs. Anderson de ses fleurs. N'est-ce pas, Mrs. Anderson? Tout le monde dit que vous avez un jardin charmant.

MRS. ANDERSON

Malheureusement il est au nord-ouest, et beaucoup plus au nord qu'à l'ouest. Nos rosiers en souffrent terriblement.

MRS. BRIGHT, *passe en s'éventant
avec lenteur.*

C'est ce cruel vent du nord dont parlent si volontiers nos poètes, le vent qui tue les jolies roses. Elles ont tort de s'exposer à sa fureur.

(*Elle s'éloigne.*)

LUCILE ANDERSON, *à mi-voix,
à Mrs. Anderson.*

Qu'est-ce qu'elle a voulu dire?

MRS. ANDERSON, *de même.*

Rien. Quelque chose de désagréable, je pense.

MRS. ESCRIDGE, *qui a entendu,
de même.*

Vous ne supposez pas que c'est une allusion à votre présence? Les jolies roses, ce serait vous, et le vent du nord... eh bien, le vent du nord, c'est la société, c'est nous, en somme. Vous ne croyez pas?

MRS. ANDERSON

Votre finesse est vraiment exquise.

(Elle s'éloigne vers la gauche avec Lucile Anderson.)

MRS. ESCRIDGE, *à elle-même*.

Je n'aurais peut-être pas dû dire ça non plus. Oh, et puis s'il fallait réfléchir à tout ce qu'on dit, la conversation serait impossible!

(Elle s'éloigne vers la droite; on l'entend dire à quelqu'un.)

Comme vous avez mauvaise mine! Vous n'êtes pas malade, j'espère?

UN DOMESTIQUE, *annonçant*.

Mr. et Mrs. Fribble.

MR. BRIGHT, *à Mr. Escridge*.

Mr. Fribble! La gloire de notre magistrature. Il va y avoir un moment curieux.

(Entrent Mr. et Mrs. Fribble; Mrs. Brimstone va au-devant d'eux.)

MRS. BRIMSTONE

Ah, comme c'est gentil! Je n'osais pas espérer...

MR. FRIBBLE

Espérer? Mais, chère madame, pour rien au monde nous n'aurions manqué... Où est-il?

MRS. BRIMSTONE

On vous a dit? Moi qui voulais tant vous faire la surprise...

MR. FRIBBLE

Allons donc! Il n'est question que de cela en ville.

MRS. BRIMSTONE

Suivez-moi. Je vais vous le présenter.

> *(Mrs. Brimstone présente Philip Anderson aux Fribble, puis Mrs. Anderson qui rejoint à ce moment son mari.)*

MRS. ANDERSON, *à Mrs. Fribble.*

Je ne me trompe pas. Nous étions bien toutes les deux au cours de Miss Fiend?

MRS. FRIBBLE,
les yeux sur Philip Anderson.

Miss Fiend? Vous croyez? Je ne m'en souviens pas du tout. Nous étions si nombreuses, vous savez.

MR. FRIBBLE, *à Philip Anderson.*

Mr. Anderson, j'attendais depuis longtemps l'occasion de vous rencontrer, mais je ne pensais pas que ce serait ici. Ma déformation professionnelle en est cause, sans doute, mais je voyais un autre décor.

MRS. BRIMSTONE, *à John Anderson
qui s'approche.*

Je vous cherchais, justement.

(*Elle le présente aux Fribble.*)

Mr. John Anderson est le frère de Philip Anderson.

(*A John Anderson.*)

Je n'ai pas besoin de vous rappeler que Mr. Fribble est notre brillant avocat général.

(*Les Fribble s'éloignent.*)

MRS. FRIBBLE, *à son mari.*

Je suis déçue, Arthur. Il a l'air tellement banal. Pourtant cela m'a fait quelque chose de sentir sa main toucher la mienne. Ce n'était pas agréable. Tu es toujours du même avis à son sujet?

MR. FRIBBLE

Plus que jamais.

MRS. FRIBBLE

Alors, pourquoi la justice ne fait-elle rien?

MR. FRIBBLE

Donnons à cet homme toute la longueur de chanvre qu'il lui faut. Un jour ou l'autre il se pendra tout seul.

MRS. FRIBBLE

Je sais, je sais, mais tout de même...

(Ils s'éloignent.)

MRS. BRIMSTONE, *à Mrs. Pelham*.

Judith, sais-tu ce que John Bright vient de me dire? James Ferris est beaucoup plus mal depuis ce matin.

MRS. PELHAM

C'est probablement vrai, mais il viendra. Je le connais. Anderson lui a obstinément fermé sa porte depuis dix ans et Ferris est bien résolu à le voir. Il ne manquerait pas cette occasion.

MRS. BRIMSTONE

Tu es bonne! Et s'il meurt? Tu rends-tu compte? Ma soirée n'aurait presque plus de sens. Oh, ce serait trop exaspérant de la part de cet homme!

MRS. PELHAM

Sois sans inquiétude, ma chère Dora. Il en a pour trois bonnes semaines. Mourir n'est pas aussi facile que tu le crois. Et puis — mais garde cela pour toi et pas un mot à Fanny, surtout ! — Bright est furieux que la réconciliation n'ait pas lieu chez lui.

MRS. BRIMSTONE

Le Ciel fasse que tu aies raison !

(Elles se séparent et s'éloignent vers la droite; insensiblement tous les invités sont allés vers la droite, tandis que le groupe formé par les Anderson se tient à gauche.)

LUCILE ANDERSON, *à Mrs. Anderson.*

J'ai l'impression qu'une lieue nous sépare de ces gens qui se tiennent là-bas. Jamais je ne pourrai franchir cet espace.

MRS. ANDERSON

C'est une illusion absurde, ma petite Lucile. Ce qu'il faut faire, c'est le plus naturellement du monde, traverser ce salon et aller dire quelque chose d'aimable à Mrs. Brimstone. Tiens, suis-moi.

(Elles se dirigent vers la droite.)

PHILIP ANDERSON, *à son frère*.

Quand tu jugeras que nous avons reçu assez de rebuffades, nous pourrons nous retirer.

JOHN ANDERSON

Des rebuffades ! Comme tu exagères ! En tout cas, s'il est vrai que James Ferris doit venir, nous ne pouvons pas partir sans l'avoir vu. Nous aurions l'air de fuir devant cet homme. Presque tous ces gens croient qu'il va venir et ils savent que nous sommes prévenus.

PHILIP ANDERSON

Tu vois bien que c'était un piège.

JOHN ANDERSON

Je reconnais qu'il y avait quelque chose de ce genre. Mais puisque nous sommes là, il faut rester et tenir tête.

PHILIP ANDERSON

Veux-tu me dire pourquoi James Ferris tient tellement à venir?

JOHN ANDERSON

Sans doute en a-t-il assez de vivre en paria. Son cas est plus difficile que le tien. Toi, tu vis à la campagne. Lui habite un petit appartement en ville, et personne ne le reçoit.

PHILIP ANDERSON

Personne ne le reçoit parce qu'il ne veut voir personne, et il ne veut voir personne parce qu'il a peur de recevoir un affront. Il est très orgueilleux.

JOHN ANDERSON

On t'a souvent fait le même reproche.

PHILIP ANDERSON

Je ne suis pas orgueilleux, je suis fier. Il y a une énorme différence. L'orgueil, avec toute sa jactance, finit par s'abaisser quand il le faut. La fierté se tait, mais ne plie pas. Si j'ai consenti à venir ici, ce soir, c'est parce que Lucile est fiancée à ce petit lieutenant Killigrew qui n'accepterait jamais de vivre au ban de la société, enfin de ce qu'on appelle la société. Il a beau être d'une bonne famille, c'est un nigaud.

JOHN ANDERSON

Les deux vont très bien ensemble. Mais Killigrew est un excellent parti. D'abord il est riche.

PHILIP ANDERSON

Je regrette de t'entendre parler ainsi.

JOHN ANDERSON

Bah, pourquoi ne pas dire les choses comme elles sont?

PHILIP ANDERSON, *haussement d'épaules*.

On ne m'ôtera pas de l'esprit que Ferris vient ici pour essayer de tout gâter... comme si tout n'était pas déjà fichu.

JOHN ANDERSON

Tu es fou. Cela va très bien finir. Ferris vient parce qu'on l'a invité et qu'il a envie de faire sa paix avec le monde, ou ce qui représente le monde à ses yeux.

PHILIP ANDERSON

Je me demande quel intérêt cela peut avoir pour un homme qui va mourir.

JOHN ANDERSON

Peut-être ne croit-il pas qu'il va mourir. Sa maladie évolue lentement.

PHILIP ANDERSON

Ah, qu'elle se dépêche et qu'il s'en aille! Pourquoi me regardes-tu ainsi? Je veux qu'il cesse de souffrir.

MR. BRIGHT, *à Mr. Escridge.*

Les Anderson se parlent entre eux. Apparemment, nous ne sommes pas tout à fait d'assez bonne compagnie pour qu'ils nous adressent la parole.

MR. ESCRIDGE.

Les grandes familles du comté leur ont fermé leurs portes. On se rattrape comme on peut. On accepte l'invitation du père Brimstone qui s'est enrichi dans les textiles.

JOHN ANDERSON, *à son frère.*

Allons là-bas. Nous ne pouvons pas laisser ta femme se débattre toute seule.

(Ils se dirigent vers la droite.)

MRS. ESCRIDGE, *à Mrs. Brimstone.*

Il paraît que vous avez invité M. James Ferris. C'est une rumeur qui circule.

MRS. BRIMSTONE

Ma chère amie, je voulais vous faire cette surprise.

(On entend un bruit de porte.)

Ah, c'est peut-être lui.

LE DOMESTIQUE, *annonçant*.

Le Révérend et Mrs. Maudlin.
>   (*Entrent le Révérend Maudlin et sa femme; Mrs. Brimstone va vers eux.*)

MRS. BRIMSTONE, *déçue*.

Quel bonheur de vous voir! Je n'osais vraiment pas espérer...

LE RÉVÉREND MAUDLIN, *il lui prend les mains*.

Mrs. Brimstone, c'est un peu en mission que je viens à vous, car si j'en crois le bruit qui court, notre brebis perdue est ici, ce soir.

MRS. ESCRIDGE, *qui a écouté*.

La brebis perdue! Oh, vous voulez sûrement dire Mr. Anderson. Mais il n'a pas du tout l'air d'une brebis.
>   (*Elle dit bonsoir aux Maudlin et se retourne vers Lucile Anderson.*)

Vous trouvez que votre père a l'air d'une brebis — et perdue par-dessus le marché!

LE RÉVÉREND MAUDLIN

Qu'on me mène vers elle, car c'est vers elle que je veux aller.

(Les invités se sont de nouveau écartés de Philip Anderson qui se trouve seul au milieu de la scène; le Révérend va d'abord vers les invités qui lui désignent discrètement Philip Anderson.)

MRS. MAUDLIN, *à mi-voix, à son mari.*

Je suppose que vous allez le foudroyer avec un texte.

LE RÉVÉREND MAUDLIN, *même ton.*

Je me propose simplement d'être juste.

MRS. MAUDLIN

Splendide! Il va rentrer sous terre. Vous êtes terrifiant quand vous êtes juste.

LE RÉVÉREND MAUDLIN

Je ne serai pas terrifiant. Je serai bon.

MRS. MAUDLIN

Ah, votre manière édifiante? En général, cela ne donne pas grand-chose. Et puis, vous ne brillez pas dans ce genre-là. Songez qu'on vous écoute — et qu'on vous regarde. Toute la ville...

LE RÉVÉREND MAUDLIN

Laissez-moi. Vous me brouillez les idées.

*(Mrs. Maudlin s'éloigne.
Le révérend Maudlin va vers Philip Anderson.)*

Entre ces murs où brillent les vertus familiales...

(Philip Anderson recule d'un pas.)

Votre main! Il y a plus de joie au Ciel pour un pécheur qui se repent...

PHILIP ANDERSON

Je vous en prie, monsieur le pasteur, pas ici.

(Il s'éloigne.)

LUCILE ANDERSON, *à Mrs. Anderson.*

Qui est ce Mr. Ferris dont on parle?

MRS. ANDERSON

Un ancien camarade de collège de ton père. Ils s'étaient perdus de vue depuis des années.

LUCILE ANDERSON

Mrs. Bright croit qu'il est trop malade pour venir ce soir.

LE DOMESTIQUE, *annonçant.*

Le capitaine Killigrew.

(Entre le capitaine Killigrew; Mrs. Brimstone va vers lui.)

MRS. ANDERSON, *elle tressaille*.

Ce n'est pas possible.

MR. BRIGHT, *à Mr. Pelham*.

Mon cher, faites attention à ce que vous allez dire à ce militaire. Vous n'ignorez pas qu'il est le fiancé de Miss Anderson.

MR. PELHAM

Je ne voudrais pour rien au monde gâter une aussi gracieuse idylle.

MR. BRIGHT

Vous comprenez qu'il ne doit rien savoir. Il arrive des Indes.

MR. PELHAM

Bien sûr. Mais il sait tout, naturellement.

MR. BRIGHT

Naturellement. Mais si l'on ne parle pas devant lui de certains événements fâcheux qui se sont passés il y a dix ans, il peut feindre de tout ignorer. Or ce que nous ignorons ne nous fait point de mal. Vieux proverbe zoulou.

mrs. ANDERSON, *à mi-voix*
à *John Anderson.*

John, j'ai peur. Je ne pensais pas que le capitaine Killigrew serait invité.

JOHN ANDERSON

Ne craignez rien. Il est amoureux fou. Le voici qui vient de notre côté. Plaisantez-le un peu.

mrs. ANDERSON, *au capitaine Killigrew.*

Capitaine, vous allez me faire croire aux visions. Est-ce bien vous qui êtes devant moi alors que votre régiment est à Londres?

LE CAPITAINE KILLIGREW

Madame, mon colonel n'a pas voulu faire de moi un déserteur. Il a trouvé plus simple de m'accorder une permission.

MRS. ANDERSON

Et quelle intuition merveilleuse vous a mené de ce côté?

LE CAPITAINE KILLIGREW

Tout simplement un mot de Mrs. Brimstone. Je n'ai pas voulu manquer cette occasion de vous présenter mes respects.

MRS. ANDERSON

Mrs. Brimstone...

JOHN ANDERSON, *prenant le capitaine
par le bras.*

Mon cher capitaine, votre présence ici ne peut s'expliquer que par une seule raison. Cette raison que je vois là-bas porte une robe bleu pâle et dans les cheveux un ruban de la même couleur.

(Il le mène vers la gauche.)

LUCILE ANDERSON, *à gauche, à mi-voix
à son père.*

Oh, papa, voilà cet ennuyeux capitaine! Restez avec moi.

PHILIP ANDERSON, *même ton.*

Je vais au contraire te laisser seule avec lui. Il est absolument nécessaire qu'il ne te quitte pas une minute. Du reste, il n'en a aucune envie.

(Haut, au capitaine Killigrew.)

Bonsoir, capitaine. Je mentirais en disant que je m'attendais à vous voir.

*(Ils engagent une conversation, puis Philip
Anderson s'éloigne, laissant sa fille avec
le capitaine Killigrew.)*

MRS. ANDERSON, *barrant la route
à Mrs. Brimstone qui se dirige vers le capitaine
et Lucile Anderson.*

Je crois que vous aviez raison tout à l'heure et que l'on est mieux disposé à mon égard.

MRS. BRIMSTONE, *déçue.*

Ah, vous croyez?

(*Elle se ressaisit.*)

Eh bien, tant mieux, chère petite. A mes yeux, il est clair qu'on vous adore. Je cherche le capitaine Killigrew. Il doit avoir des choses passionnantes à nous dire sur son séjour aux Indes.

MRS. ANDERSON, *souriant.*

Vous savez qu'il est venu de Londres pour voir notre Lucile. Peut-être pourrions-nous les laisser seuls un instant.

PHILIP ANDERSON, *s'avançant vers Mrs. Brimstone
avec un air faussement jovial.*

Mrs. Brimstone, j'ai à vous parler. Je ne sais absolument pas ce que j'ai à vous dire, mais j'éprouve fortement le besoin de vous parler.

JOHN ANDERSON, *même jeu.*

Moi aussi. Il y a des années que nous n'avons

eu ce plaisir et je compte pour ma part me rattraper séance tenante.

> *(Tous les trois se tiennent en riant devant Mrs. Brimstone qui recule d'un pas.)*

MRS. BRIMSTONE, *riant d'un air forcé.*

Ah, s'il s'agit d'une conspiration, je suis d'avis qu'elle se fasse à la lueur du punch.

> *(Un domestique apporte, en effet, un plateau chargé d'un grand bol de punch entouré de verres.)*

UN AUTRE DOMESTIQUE, *annonçant.*

Mr. James Ferris !

> *(Les invités qui se sont assis se lèvent instinctivement. Tous regardent vers la porte. James Ferris paraît dans l'embrasure ; d'abord immobile et la tête un peu inclinée vers l'épaule, puis fait deux ou trois pas et s'arrête, la main sur le dossier d'une chaise ; Mrs. Brimstone va vers lui non sans une hésitation, car il est d'un aspect saisissant.)*

MRS. BRIMSTONE

Mr. Ferris, je vous remercie d'avoir fait ce grand effort...

JAMES FERRIS

Ne me remerciez pas, madame, je vous en prie. Depuis tout à l'heure, je vais mieux. Je vous suis reconnaissant de cette occasion...

*(Il regarde autour de lui
et semble se parler à lui-même.)*

Beaucoup de monde. Ils me regardent et ne disent rien, mais je les reconnais tous.

*(Il avance vers Mr. Pelham;
profond silence.)*

Nous avons joué ensemble dans le jardin de votre mère, vous souvenez-vous Pelham? Près de ce vieux puits dans lequel nous laissions tomber des cailloux. Et entre le moment où le caillou s'échappait de nos doigts et celui où il heurtait la surface de l'eau, tout au fond, tout au fond du puits, il nous semblait que notre cœur s'arrêtait de battre.

MR. PELHAM

Mais oui, parbleu. J'avais oublié. Nous retenions notre souffle.

JAMES FERRIS, *à mi-voix.*

Nous retenions notre souffle.

(Avançant vers Mr. Bright, haut.)

John Bright, nous étions épris de la même demoiselle à qui nous écrivions des sonnets, mais je crois qu'elle aimait mieux vos vers que les miens.

MR. BRIGHT, *riant*.

Elle s'appelait Jennifer et portait autour du cou un ruban de la couleur de ses yeux. Voilà bien vingt-cinq ans que je n'avais songé à elle.

MR. BRIMSTONE

Asseyez-vous, Ferris. Sortir par un si mauvais temps a dû vous fatiguer.

JAMES FERRIS

Oh, vous savez ce que nous chantions au collège, Brimstone : « Il fait toujours beau quand de vrais amis se retrouvent. »

MR. BRIMSTONE, *riant*.

Nous faisions énormément de bruit dans les rues du collège, n'est-ce pas?

MR. FRIBBLE, *voix méchante*.

Mr. Ferris, je n'ai pas joué avec vous dans un jardin, près d'un vieux puits, ni rivalisé avec vous en poésie pour les beaux yeux d'une demoimoiselle, ni chanté avec vous après boire. Je ne vous ai même jamais vu de ma vie, mais je me pique d'être quelque peu physionomiste et...

JAMES FERRIS, *l'interrompant
avec douceur.*

Moi, je vous connais, Mr. Fribble. Je n'ai presque jamais manqué une occasion de vous entendre au tribunal, car j'ai le goût du style et de la pensée claire. Vous étonniez votre auditoire par la vigueur de vos arguments et la finesse de vos déductions. En particulier dans l'affaire Cartwright qui se termina si mal pour l'accusé, j'ai été saisi par la beauté du raisonnement que vous avez mené jusqu'à la fin avec une fermeté intraitable.

MR. FRIBBLE

Il est vrai que j'ai toujours attaché beaucoup d'importance au raisonnement.

JAMES FERRIS

Point par point, avec une patience, un calme et une précision exemplaires, vous avez réduit au silence la partie adverse, mais de la manière la plus sobre, sans ces grands effets de manches qui font sourire.

MR. FRIBBLE

Le procès Cartwright... Oui, ce n'était pas trop mal.

JAMES FERRIS

Pas trop mal! Comme vous en parlez! Un chef-d'œuvre, voulez-vous dire, un chef-d'œuvre d'élégance et d'érudition. Vous nous avez fait une paraphrase de *summum jus, summa injuria* qui est un des modèles du genre.

MR. FRIBBLE

Summum jus... Ma foi, je l'avais un peu oublié, mais il y a du vrai dans ce que vous dites.

(*Bas, à sa femme.*)

Qui donc nous représentait cet homme comme une brute? Il est charmant.

(*James Ferris s'est tourné vers Mrs. Brimstone pendant que Fribble parlait à sa femme, mais il reste assez près d'eux.*)

MRS. FRIBBLE, *bas, à son mari.*

Il n'est pas comme l'autre.

MR. FRIBBLE, *même ton.*

L'autre, c'est différent. L'autre est manifestement coupable.

(*Haut.*)

Mr. Ferris, j'espère que vous nous ferez le plaisir de venir nous voir.

(*Ferris s'incline.*)

MR. PELHAM

Mon cher Ferris, vous nous offenseriez en ne nous accordant pas la même faveur.

> *(Ferris s'incline.)*

MRS. BRIMSTONE

Mr. Ferris, il y a ici une personne avec qui je jurerais que vous avez des souvenirs communs.

JAMES FERRIS

Madame, je lis son nom dans vos yeux avant même qu'il puisse se former sur vos lèvres. J'avoue que j'aurais été déçu de ne pas voir chez vous, Philip Anderson, mon ami de plus longue date. Ne se tient-il pas là-bas, seul, à l'entrée de ce petit salon? Comment ne reconnaitrais-je pas là cette espèce de sauvagerie qui me le rendait si cher, du temps que nous étions au collège? Et puisqu'il ne vient pas vers nous, voulez-vous me permettre d'aller vers lui?

MRS. BRIMSTONE

Certainement, Mr. Ferris.

> *(James Ferris s'incline et va vers Philip Anderson. Les invités et les Brimstone, à droite, les observent. Mrs. Anderson fait mine d'aller vers son mari, mais John Anderson l'arrête d'un geste.)*

JAMES FERRIS, *à mi-voix à Philip Anderson, en désignant des fauteuils dans le petit salon.*

Voulez-vous que nous nous asseyions là ? Je suis exténué.

PHILIP ANDERSON, *même ton pour toute cette scène.*

Je ne désire pas vous parler.

JAMES FERRIS

Sans doute, mais vous pouvez au moins m'écouter. Ce serait plus sage.

PHILIP ANDERSON

Si vous essayez de m'embobiner comme vous l'avez fait avec ces gens tout à l'heure, je vous préviens que vous perdez votre temps.

JAMES FERRIS

La situation est fort simple : nous essayons de rentrer en grâce auprès de ces personnes qui nous observent...

PHILIP ANDERSON

Rentrer en grâce !

JAMES FERRIS

Appelez cela comme vous voudrez. J'ai autant de mépris que vous pour ce monde absurde, mais en ce moment il nous juge, et cela est important. Nous étions brouillés, mais nous allons nous asseoir et nous serons deux vieux amis qui se retrouvent et se réconcilient après de longues années. Il faut que cela soit un peu touchant, comprenez-vous?

PHILIP ANDERSON

Cette comédie me fait horreur et je vous ai dit que je n'avais aucun désir de m'entretenir avec vous.

JAMES FERRIS

Tout au moins pouvons-nous faire semblant de nous parler. Un éclat serait dangereux, surtout pour vous. Le fiancé de votre fille en recevrait une impression désagréable. Allons, ne restons pas là, debout. Ils finiront par deviner que tout continue d'aller fort mal entre nous deux.

(Il s'approche insensiblement d'un fauteuil et s'assoit.)

Je vous assure que si vous ne prenez pas place à côté de moi, il y aura je ne sais quoi de coupable dans votre attitude.

(Après une hésitation, Philip Anderson s'assoit non loin de James Ferris, de l'autre côté d'un guéridon.)

J'ai quelque chose d'important à vous confier. Préférez-vous que je vous rende visite à Edgware Road?

PHILIP ANDERSON

Vous ne passerez jamais plus le seuil de ma maison.

JAMES FERRIS

Comme je vois que nous allons nous dire des amabilités, nous prendrons garde de ne pas élever la voix. En ce moment, l'on peut croire que nous en sommes aux confidences, aux souvenirs de jeunesse, alors que si nous avions l'air de nous quereller, on supposerait que c'est à cause de ce qui s'est passé jadis. Il va de soi que nous jouons la comédie. Encore faut-il la jouer correctement jusqu'au bout.

(Silence.)

Nous avons beaucoup changé l'un et l'autre, mais j'ai vieilli plus que vous. Ma mine doit en dire assez long. Les médecins me donnent trois mois encore, si le cœur peut tenir.

PHILIP ANDERSON

N'espérez pas que je m'apitoie.

JAMES FERRIS

Il ne s'agit pas de cela. Vous devez comprendre qu'étant si près de m'en aller pour toujours, je puis dire ce qui me plaît. C'est un avantage que nous avons sur les personnes bien portantes, nous dont les jours sont comptés. Tenez, cela me rappelle ces deux vers français que nous avons appris au collège :

> *Qui n'a plus qu'un moment à vivre*
> *N'a plus rien à dissimuler.*

PHILIP ANDERSON

J'avoue que l'intérêt de cette citation m'échappe.

JAMES FERRIS

Mais non, Philip. Il est impossible que vous ne m'entendiez pas à demi-mot. Je puis, juste avant la fin, dire toute la vérité sur l'accident que vous savez. Vous seriez alors dans un très grand embarras.

PHILIP ANDERSON

Il n'y a pas l'ombre d'une preuve dont on puisse se servir contre moi.

JAMES FERRIS

Soit. Mais si la justice est impuissante, la société, elle, vous fermera définitivement ses portes. Mes aveux seraient d'un très grand poids. Je vous prie d'y réfléchir, de voir par les yeux de l'imagination tout cela dans la presse, le fiancé de Miss Anderson lisant ces choses dans un journal. On n'épouse pas volontiers la fille d'un homme que le monde répudie. Or vous serez montré au doigt.

(Silence.)

Pensez, s'il vous plaît, à l'effet que pourrait avoir la divulgation de certains détails.

PHILIP ANDERSON

J'exige que vous me disiez clairement où vous voulez en venir. Est-ce de l'argent qu'il vous faut?

JAMES FERRIS

De l'argent? Ce serait trop simple. Vous avez toujours eu de moi une idée absolument fausse.

PHILIP ANDERSON

Peu importe. Venons au fait.

JAMES FERRIS

Nous y venons, mais vous êtes impatient. Quand on ne s'est pas vus depuis plusieurs années, comme c'est le cas pour nous deux, on a beaucoup de petites choses à se dire. Peut-être savez-vous que je suis resté en relation avec le frère de votre première femme. Douglas n'a jamais cru à l'hypothèse d'un accident. Selon lui, sa sœur, qu'il adorait, a été tuée par vous.

PHILIP ANDERSON

C'est absolument faux.

JAMES FERRIS

Quoi qu'il en soit, il en est tout à fait persuadé. Il est également persuadé que je n'ai vu la scène que de loin, que je n'y étais pour rien et que j'ai gardé le silence pour vous sauver.

(Geste de Philip Anderson.)

Non, je vous en prie, on peut nous voir.

(Silence.)

C'est à lui que je découvrirai la vérité quand le moment sera venu, si vous m'y obligez. Mais vous ne m'y obligerez pas, et cela pour deux raisons, la première est que vous tenez beaucoup à marier votre fille...

PHILIP ANDERSON

Oh, je vous en prie...

JAMES FERRIS

Si cela vous chagrine, nous allons parler d'autre chose. Pensez-vous quelquefois à nos années de collège?

(Geste de Philip Anderson.)

Non, ma question n'est pas aussi frivole que vous semblez le croire. Ma conversation vous amusait alors. Ne vous en défendez pas, vous admiriez mes dons. J'avais le sens de l'univers poétique. Il me suffisait de vous parler de certaines choses pour vous les faire voir comme si elles se montraient à vos yeux pour la première fois. Mais dans le fond de votre cœur, vous me méprisiez un peu. Vous aviez honte de moi, Philip. Je n'étais pas de ceux qu'on présente à ses amis, ni qu'on invite volontiers chez soi. Entre nous, vous me trouviez un peu... Aidez-moi, voulez-vous ? Un peu commun ?

PHILIP ANDERSON

Je n'ai jamais rien dit de tel.

JAMES FERRIS

Bien sûr que non. Je le savais pourtant. J'avais assez de finesse pour vous épargner les situations gênantes. On ne me voyait pas quand il ne fallait pas me voir, quand un garçon de très bonne famille venait bavarder avec vous, par exemple. Mais vous les trouviez justement très ennuyeux, les garçons de bonne famille. Votre compagnon de plaisir c'était moi. Nous courions après les mêmes femmes, ces femmes un peu faciles des environs. Oserais-je vous avouer aujourd'hui que cela me flattait ? J'étais d'une origine modeste, plus modeste encore que je ne vous l'avais dit — car je vous mentais... un peu — alors que votre famille était une des premières de la région...

PHILIP ANDERSON

Laissons cela, au nom du Ciel.

JAMES FERRIS, *continuant*.

... Et c'est même ce qui rend si difficile cette soirée chez les Brimstone, car enfin, ils vous sont légèrement inférieurs, eux, et tous leurs invités.

PHILIP ANDERSON, *se levant*.

Si vous continuez, je quitte cette pièce.

JAMES FERRIS

Vous ne commettrez pas une telle erreur. Ce que j'ai à vous dire vous touche de trop près. Il vaut beaucoup mieux vous asseoir.

MR. PELHAM, *à Mrs. Brimstone*.

Mr. Anderson n'a pas du tout l'air d'être à son aise.

MRS. BRIMSTONE

Il y a dix ans qu'il n'est pas à son aise, cher ami.

JAMES FERRIS

Soyez sûrs qu'ils nous observent. Ne remarquez-vous pas qu'ils se taisent depuis un moment?

PHILIP ANDERSON

Ils jouent aux cartes.

JAMES FERRIS

C'est pour essayer de saisir ce que nous disons. Asseyez-vous donc, je vous en prie. Dans quelques minutes, j'aurai fini.

(Philip Anderson s'assoit.)

Le capitaine Killigrew sait très bien que votre première femme n'est pas morte accidentellement, mais il veut le croire, parce qu'il est amoureux de votre fille. Or il faut l'aider à croire ce qu'il veut croire, car il est de cette race d'hommes qui ne reculeraient pas d'un pouce devant le feu de l'ennemi, mais qui blêmissent devant un scandale.

PHILIP ANDERSON

Si peu d'estime que j'aie eu pour vous, je ne vous croyais pas capable d'une tentative de chantage.

JAMES FERRIS

Le mot est assez vilain, mais je l'attendais. Essayez de rester calme. Votre fille Lucile ne sait rien.

PHILIP ANDERSON

Ma fille ne sait rien et ne croira jamais rien de ce que vous jugerez bon de révéler à qui que ce soit. Je vous interdis de me parler d'elle.

JAMES FERRIS

Bien. Votre femme, votre femme actuelle, soupçonne la vérité et se défend d'y croire, parce qu'elle vous aime.

PHILIP ANDERSON

Cela ne vous regarde pas.

JAMES FERRIS

Admettons. Mais quel effet auraient sur elle les révélations dont je vous parlais tout à l'heure?

PHILIP ANDERSON

Elle ne croirait certainement pas ce que pourrait dire un misérable de votre espèce.

JAMES FERRIS

Mais si le misérable en question s'accusait

lui-même et disait toute la vérité? Car enfin, c'est moi qui ai poussé votre femme dans le vide. Vous vous teniez à l'écart et vous vous détourniez, pour ne pas voir.

PHILIP ANDERSON

Oh, je vous en prie...

JAMES FERRIS

Pourquoi me tairais-je, Philip? Pourquoi me tairais-je devant vous, ce soir? Il y a dix ans que j'ai envie de dire ces choses — parce — parce qu'elles me font peur et qu'il faut que je m'en délivre... et que je vais mourir.

PHILIP ANDERSON

J'espère que vous n'allez pas me parler de votre conscience. Ce serait abject.

JAMES FERRIS

Ma conscience? Non, je ne pourrais pas. Ce serait trop gênant. Mais je veux que vous compreniez bien...

PHILIP ANDERSON

Que je comprenne quoi? Eh bien, dites.

JAMES FERRIS

Nous reparlerons de cela tout à l'heure.

(Silence.)

Votre frère sait-il exactement ce qui s'est passé sur la falaise de Bleak Wood?

PHILIP ANDERSON

Exactement. Je lui ai tout dit.

JAMES FERRIS

En êtes-vous tout à fait sûr?

PHILIP ANDERSON

La question est absurde. Je ne mens jamais.

JAMES FERRIS

Mais comment donc, Philip? Votre vie entière est un mensonge depuis le soir du 10 octobre 1878. Vous ne pouvez aspirer l'air que ce ne soit avec les poumons d'un menteur. Vos yeux, votre bouche, vos mains, votre corps entier et votre âme avec lui, tout cela ment du matin au soir, et ment, et ment, comme moi. On a beau nous dire qu'un gentleman ne ment pas. Un gentleman, cela ment tout aussi bien qu'un homme qui n'est pas tout à fait un gentleman, comme moi, n'est-ce pas? Parce que c'est cela que j'ai appris au collège, ce n'est pas le grec de Thucydide et de Platon, ni l'anglais de la Bible, ni une certaine façon de parler qui nous

L'OMBRE

distingue du reste du monde, mais bien que je n'étais pas votre égal.

PHILIP ANDERSON

Je ne sais pourquoi vous revenez sur ce point. Je ne puis rien à votre naissance.

JAMES FERRIS

Votre condescendance était une insulte. Vous ne vous en rendiez même pas compte. Il y avait des jours où vous aviez l'air de me traiter avec bonté. C'était insupportable.

(Silence.)

Je m'excuse de m'être laissé aller à ce mouvement d'impatience, mais j'ai trop souffert et je souffre encore de votre attitude. C'est exactement comme autrefois, au collège, la même colère que je sens monter en moi.

(Silence.)

Tout à l'heure vous avez prononcé le mot de chantage. Il n'y aura pas de chantage. Vous pensez bien que je n'ai aucune envie de faire cette révélation *in extremis* qui déshonorerait ma mémoire et dont tout l'odieux retomberait sur mon fils.

PHILIP ANDERSON

Votre fils? J'avais oublié que vous aviez un fils.

JAMES FERRIS

C'est qu'en effet il n'y a rien de paternel dans mon aspect, n'est-ce pas? Mais j'ai un fils, que j'aime — immodérément. Vous ne l'avez jamais vu. Vous ne pouviez pas nous voir, ma femme, ni moi, ni Joël. Oui, il s'appelle Joël. Lorsque ma femme est morte, vous m'avez écrit une de ces petites lettres incolores qui donnent l'impression de vous être tendues au bout d'une perche, pour la distance, car il faut garder les distances.

PHILIP ANDERSON

Je ne sais de quoi vous parlez.

JAMES FERRIS

Je vous parle de mon fils Joël. Laissez-moi vous en dire un mot. Je l'aime comme on m'a dit que vous aimiez votre fille. Lorsque je le vois devant moi, je voudrais qu'il soit ce que je n'ai pas été, ce que je n'ai pas pu devenir. Ma vie a été un échec. Je ne veux pas que la sienne...

PHILIP ANDERSON

Parlons d'autre chose, je vous en prie.

JAMES FERRIS

Non, oh, non! C'est ma chair et mon sang

qui crient vers vous. J'ai été maladroit tout à l'heure, Philip. J'ai été petit. J'avais une revanche à prendre, je n'ai pas su résister à la tentation. Et puis, je voulais vous intimider pour vous contraindre à m'écouter, parce que je savais que vous me haïssiez. J'aurais dû vous demander tout de suite de venir en aide à mon fils après ma mort. C'était cela, cela seulement qui me tenait à cœur. Quand je mourrai, il trouvera un petit emploi dans un bureau de Londres, ou on lui donnera un poste insignifiant dans les colonies, parce qu'il n'a aucune relation.

PHILIP ANDERSON

Qu'est-ce que vous voulez que cela me fasse?

JAMES FERRIS

Ne soyez pas inhumain. J'ai commis la grande faute que vous savez. J'ai tué cette femme que vous n'osiez pas tuer vous-même.

PHILIP ANDERSON

Je ne supporterai pas que vous me parliez de cela.

JAMES FERRIS

Je n'en parlerai plus, mais il y a sur mon fils le poids de cette action terrible qui continue d'exister parce qu'elle n'a été expiée ni par vous, ni par moi.

PHILIP ANDERSON

Comment osez-vous me faire un sermon?

JAMES FERRIS

Je ne veux pas vous faire de sermon, mais j'ai réfléchi à tout cela depuis dix ans. Je ne veux pas que Joël souffre à cause de moi. Si je m'accusais de ce que j'ai fait, j'en souffrirais moins, parce que je me serais pardonné à moi-même avant de mourir, mais le crime passerait de mes épaules sur celles de mon fils.

PHILIP ANDERSON

Vos pieux raisonnements ne m'intéressent pas. Vous parlerez ou vous garderez le silence Quant à moi, je nierai jusqu'au bout. Je ne suis pas un malade en proie à je ne sais quelles rêveries et je ne veux pas être le jouet d'une conscience infirme.

JAMES FERRIS

Il est vrai que je suis malade et que je parle comme quelqu'un qui ne sait plus bien ce qu'il veut dire, mais écoutez-moi, s'il vous plaît.

(Silence.)

Je voudrais que vous voyiez mon fils.

PHILIP ANDERSON, *stupéfait*.

Voir votre fils? Et pourquoi?

JAMES FERRIS

C'est pour cela que je suis venu ici ce soir, pour cela surtout, pour vous demander cette chose si simple. Je n'osais pas vous le dire, et je vous le dis enfin. Écoutez-moi, Philip. Je crains pour Joël. Je veux qu'il s'élève, comprenez-vous. Si vous le connaissiez un peu, si vous le voyiez, ne fût-ce qu'une fois, vous comprendriez pourquoi je l'aime tant. Il est tout ce que j'ai au monde. Lorsqu'il quitte la maison, je suis inquiet comme s'il était encore un enfant, je sais ce qu'éprouvent les mères quand elles imaginent des dangers qui menacent leurs petits... Je vous parais ridicule?

PHILIP ANDERSON

Nullement. Mais votre fils ne viendra jamais chez moi.

JAMES FERRIS, *il se courbe un peu et parle avec un léger bredouillement.*

Oh, vous êtes dur. Je n'ai pas réussi à vous convaincre. J'ai échoué, comme toujours. Pourtant ce que je vous demandais était raisonnable. Je voulais seulement que Joël vous fasse une visite, une seule. Ne voulez-vous pas le recevoir une fois seulement, à Edgware Place?

PHILIP ANDERSON

Voulez-vous me dire pourquoi?

JAMES FERRIS, *la tête dans les mains*.

Il saurait vous parler. Il est tel que j'étais au collège, quand vous m'avez vu pour la première fois, dans la bibliothèque gréco-latine.

PHILIP ANDERSON

Non. Ni lui, ni vous ne passerez le seuil de ma maison. N'avez-vous rien d'autre à me dire?

JAMES FERRIS

Comment puis-je vous parler ici? Je me sens mal.

PHILIP ANDERSON

Si vous vous sentez mal, je vais demander qu'on s'occupe de vous.

JAMES FERRIS, *vivement*.

Non, laissez. Il y a une chose que j'aurais voulu vous dire, mais chez vous.

PHILIP ANDERSON

Alors, renoncez-y, car vous ne viendrez pas chez moi.

JAMES FERRIS

Il faudra donc que je vous la dise ici. C'est au sujet de votre première femme.

PHILIP ANDERSON

Je ne veux pas que vous me parliez d'elle.

JAMES FERRIS

Il est nécessaire que vous sachiez que je l'ai accusée injustement.

PHILIP ANDERSON

Que voulez-vous dire?

JAMES FERRIS, *voix haletante*.

Vous l'aimiez. Je pouvais agir sur vous par la jalousie. C'était le seul moyen. Vous étiez à la fois soupçonneux et crédule. Je n'ai pas eu beaucoup de peine à vous faire croire qu'Évangéline vous était infidèle. Vous vouliez la tuer, mais n'en ayant pas le courage, vous m'avez laissé faire.

PHILIP ANDERSON, *saisissant la main que James Ferris a posée sur la table*.

Si ce que vous dites est vrai, pourquoi m'avez-vous menti en me disant qu'elle était infidèle?

JAMES FERRIS

Laissez-moi! Vous me faites mal. Vous me broyez la main. Je parlerai, mais lâchez ma main.

PHILIP ANDERSON, *lâchant la main de Ferris*.

Eh bien, parlez.

JAMES FERRIS

J'étais épris d'Évangéline. Je l'aimais comme vous l'aimiez, plus que vous peut-être, mais elle était à vous. Elle m'a repoussé. Elle était parfaitement innocente, mais je voulais sa mort. Elle vivante, je ne pouvais plus vivre.

PHILIP ANDERSON

Comment osez-vous m'avouer une chose aussi monstrueuse?

JAMES FERRIS, *montrant son visage*.

Au point où j'en suis...

PHILIP ANDERSON

Il n'y a que cela qui vous protège. Si vous n'étiez pas si près de votre mort, de votre sale mort, nous nous battrions demain et je vous assure que je ne vous manquerais pas.

MRS. BRIMSTONE, *à Mr. Escridge.*

Vous avez remarqué qu'ils se sont serré la main tout à l'heure? Je trouve ça beau, deux ennemis qui font la paix.

PHILIP ANDERSON

Quel imbécile j'ai été de vous présenter à Évangéline, moi qui ne vous présentais à personne, car vous avez raison : j'avais honte de vous.

JAMES FERRIS

Vous ne m'avez pas présenté à Évangéline. Un jour que nous nous promenions dans la forêt, vous et moi, elle est venue vers nous, mais vous ne m'avez pas présenté tout d'abord. Croyez-vous que je l'aie oublié? Elle a pris l'habitude de nous voir ensemble, mais elle ne m'adressait pas la parole. Je ne suis tombé amoureux d'elle que peu à peu. Elle était comme une enfant. La première fois que nous nous sommes trouvés seuls, elle m'a parlé d'*Alice au pays des merveilles*. C'est le moment où j'ai su que je l'aimais. Mais elle m'a repoussé quand elle a compris...

PHILIP ANDERSON

Taisez-vous.

JAMES FERRIS

Savez-vous pourquoi je vous ai avoué la vérité ce soir?

PHILIP ANDERSON

Je ne le sais ni ne le veux savoir. Je vous hais. Tout ce qui vous touche m'est odieux. Je savais trop bien que vous feriez n'importe quoi pour exister enfin à mes yeux comme un égal. Ce que vous vouliez, c'était faire de moi votre égal par la complicité. Vous avez cru que vous me teniez.

JAMES FERRIS, *plus bas*.

Si j'ai parlé ce soir, c'était pour disculper Évangéline. Je voulais aussi... mais ceci est plus difficile à dire... Je voulais obtenir avant de m'en aller, le pardon de l'homme que j'ai le plus injustement offensé en ce monde.

PHILIP ANDERSON

Si c'est de moi que vous parlez sur ce ton de momerie, je ne vous pardonnerai pas. Votre hypocrisie me révolte.

JAMES FERRIS, *voix très faible*.

Quand vous verrez mon fils, vous me pardonnerez.

PHILIP ANDERSON

Il n'est pas question que je voie votre fils.

JAMES FERRIS

Vous le verrez, j'en suis sûr. Il vous remettra un message de ma part, que je sois vivant ou que je sois mort. Et si je suis vivant, le message aura un sens, et si je suis mort, il en aura un autre.

PHILIP ANDERSON

Vous délirez, James Ferris.

JAMES FERRIS, *se levant et d'une voix glaciale.*

Non, je ne délire pas. Je n'ai pas déliré une seconde, sachez-le bien. Vous verrez mon fils. Je le veux.

(Il quitte la pièce avec un sourire de dédain. Après une hésitation, Philip Anderson le suit; tous deux regagnent le salon.)

MRS. BRIMSTONE, *à Mrs. Pelham.*

Voilà nos conspirateurs.

MR. PELHAM, *à Mr. Bright.*

Anderson a l'air très... très...

MR. BRIGHT

Oui. Mettons incertain.

MR. PELHAM

Accablé même. Il y a une justice, quoi qu'on dise.

MR. BRIGHT

Toute cette histoire est très morale, en somme.

MR. PELHAM

Très.

(A James Ferris qui s'avance vers eux.)

Mon cher Ferris, je ne sais à quelle heure vous pensez vous retirer, mais vous habitez loin et mon cabriolet est en bas. Nous ferons route ensemble, si vous voulez bien.

JAMES FERRIS

Je vous remercie, Pelham. Les voitures de place sont difficiles à trouver à cette heure.

MR. ESCRIDGE

Pelham, je vous en veux de m'avoir devancé, car j'allais moi-même offrir ma voiture à Mr. Ferris.

JAMES FERRIS

Oh, vous êtes trop bons, tous.

(Il jette un coup d'œil à Pelham.)

Je me sens si faible que si je puis accepter votre offre...

MR. PELHAM

Nous allons prendre congé.

(Ils se dirigent vers Mrs. Brimstone. Les invités s'empressent autour de James Ferris.)

LUCILE ANDERSON, *se dirigeant vers son père.*

Qu'y a-t-il, papa?

PHILIP ANDERSON

Rien. Il n'y a rien.

(Il la regarde et dit à mi-voix.)

Comme tu ressembles à ta mère, ce soir...

LUCILE ANDERSON, *riant.*

C'est un compliment que vous me faites. Je ne lui ressemble pas tous les soirs?

PHILIP ANDERSON

Non, pas tous les soirs.

MRS. ANDERSON, *se dirigeant vers son mari.*

Ils commencent à s'en aller. J'avoue que je

n'en suis pas mécontente. James Ferris est déjà parti. Comment a-t-il été?

PHILIP ANDERSON

Oh, Ferris est un homme quelconque et ce qu'il dit est sans intérêt.

MRS. ANDERSON

Enfin, grâce au Ciel, tout s'est bien passé.

PHILIP ANDERSON

Oui.

LUCILE ANDERSON, *à Mrs. Anderson.*

Figurez-vous que le capitaine m'a encore parlé de ses chevaux. Y a-t-il rien de plus ennuyeux au monde que les gens qui vous parlent de chevaux?

(*Elle se dirige vers la droite avec Mrs. Anderson.*)

JOHN ANDERSON, *à son frère.*

Eh bien?

PHILIP ANDERSON, *à mi-voix.*

Je te parlerai chez nous. Allons-nous-en.

JOHN ANDERSON

Attendons une minute ou deux ou nous

risquons de rattraper Ferris. Il doit descendre l'escalier avec une incroyable lenteur. Tu as l'air bouleversé, Philip. Qu'y a-t-il eu?

PHILIP ANDERSON

Je ne suis pas bouleversé, mais cet homme est plus dangereux que je ne croyais.

JOHN ANDERSON, *haussant les épaules*.

De toutes façons, il est perdu. Allons dire un mot aux Brimstone.

MRS. BRIGHT, *à Mrs. Brimstone*.

Dora, tu avais eu une idée splendide. Cette entrevue, ça aurait pu être saisissant.

MRS. BRIMSTONE

Je ne sais à quoi tu t'attendais, ma chère.

MRS. BRIGHT

Il n'y a pas eu d'altercation, de bataille.
(Derrière son éventail.)
Ton assassin est doux comme un épagneul. Mais c'était curieux tout de même. Très. Merci pour cette bonne soirée.

(Elle et son mari disent bonsoir aux Brimstone et passent devant les Anderson sans paraître les voir.)

MRS. ESCRIDGE, *à Mrs. Brimstone.*

Quelle soirée merveilleuse, chère madame ! Quand j'ai vu Mr. Ferris, j'ai eu le frisson. N'est-ce pas, Arthur, que j'ai frissonné ? C'était délicieux.

(Son mari la pousse vers la porte.)

Pourquoi me pousses-tu ? Qu'est-ce que j'ai dit ? Mr. Anderson m'a fait frissonner aussi, mais moins...

(Le reste se perd.)

MR. FRIBBLE, *à Mrs. Brimstone.*

Madame, vous avez gratifié le tribunal d'une démonstration admirable. Le front blême, mais le regard droit, l'innocence se retire sans dire un mot pour se justifier : elle n'en a pas besoin. James Ferris a donné une splendide leçon...

(Bas, un coup d'œil vers les Anderson.)

...au crime.

(Il s'incline et sort avec sa femme.)

LE RÉVÉREND MAUDLIN, *à Mrs. Brimstone.*

N'oublions pas la miséricorde, madame, et souffrez que j'aille porter la bonne parole à notre frère malheureux.

(Il va vers Philip Anderson.)

Mon ami, mon pauvre ami, laissez-moi vous appeler ainsi, bien que je ne vous connaisse pas encore très bien, mais je compte aller vous voir, je...

PHILIP ANDERSON

Monsieur le pasteur, nos relations en resteront là, si vous voulez bien.

(Il lui tourne le dos.)

LE RÉVÉREND MAUDLIN

Hélas, la même pluie tombe sur le juste et l'injuste.

(Il se retourne vers Mrs. Brimstone et prend congé d'elle et de son mari, avec sa femme.)

MRS. MAUDLIN, *à mi-voix, à son mari.*

Votre fameuse bonté n'a pas l'air de donner de grands résultats... Et je me demande ce que vient faire cette pluie dont vous nous gratifiez.

LE RÉVÉREND MAUDLIN, *même ton.*

N'essayez pas de comprendre. Ce sont là des choses qui vous dépasseront toujours.

(Il la saisit par le coude et la pousse vers la porte.)

Il y a des jours où vous mettriez un saint en rage.

(Ils disparaissent en se querellant à mi-voix.)

LUCILE ANDERSON, *à Mrs. Anderson, bas.*

Comment se fait-il que personne ne nous dise au revoir?

MRS. ANDERSON, *de même.*

Ce sont les manières d'aujourd'hui. Nous allons prendre congé des Brimstone.

LE CAPITAINE KILLIGREW, *à Mrs. Anderson.*

Me permettez-vous de vous accompagner jusqu'à votre voiture, madame?

MRS. ANDERSON

Je vous remercie. Nous partons tout de suite.
(A Mrs. Brimstone.)

Vous excuserez les naïvetés que j'ai pu vous dire tout à l'heure, mais la reconnaissance que je vous ai est beaucoup plus grande que vous ne le pensez. Vous m'avez appris sur le cœur humain des choses que je n'aurais pas crues possibles.

MRS. BRIMSTONE

Ma chère enfant, ce sont les petits services qu'entre femmes il faut bien se rendre.

*(Elles se saluent. Lucile Anderson prend
congé. John Anderson de même.)*

MR. BRIMSTONE, *à Philip Anderson. en lui mettant
la main sur l'épaule.*

Mon cher Anderson, ni vous, ni moi ne sommes faits pour le monde.

PHILIP ANDERSON, *se dégageant.*

Oh, je vous trouve admirablement fait pour celui où vous êtes. C'est moi qui suis un peu dépaysé.

(Tous se dirigent vers le fond et se quittent sur le seuil de la porte.)

MR. BRIMSTONE, *revenant avec sa femme.*

Ce Philip Anderson a quelque chose de brusque et d'amer qui me déconcerte, je l'avoue. On ne sait au juste que lui dire. Il prend tout d'une façon si bizarre.

MRS. BRIMSTONE, *elle essaie de
le faire valser.*

Cher vieux bonhomme de Brimstone qui ne comprends rien ! Est-ce que tu t'imagines l'état d'esprit des Anderson à l'heure actuelle ?

MR. BRIMSTONE, *se dégageant.*

Qu'est-ce que tu as ? Tu es folle ? Les Anderson

sont enchantés. Les voilà réconciliés avec la société après dix ans d'ostracisme.

(Il s'assoit.)

MRS. BRIMSTONE

Dix ans d'ostracisme! Ha! Ces années-là, c'est un paradis auprès de ce qui les attend. Tu n'as donc pas vu ce qui s'est passé ce soir?

MR. BRIMSTONE

Ce soir? Tout s'est bien passé. Le dîner était excellent. La partie de whist...

MRS. BRIMSTONE

Ha! Ha! Tu m'amuses.
(Avec exaltation.)

Mais ma soirée a été un désastre, un désastre, tu m'entends? Je n'osais même pas espérer ça. Je croyais bien qu'il y aurait un petit froid de rien du tout, quelques mines légèrement pincées, des paroles aigres-douces, des poignées de main réticentes. Mais ça a raté, ça a raté avec une ampleur magnifique. Personne n'a voulu parler aux Anderson, sauf cette petite crétine d'Emma Escridge que son mari va pincer jusqu'au sang, je l'espère. Tout le monde a été parfait. Il n'y a pas eu de réconciliation et il n'y en aura jamais, parce que les honnêtes gens ne veulent pas de cet homme.

MR. BRIMSTONE

Est-ce que je rêve, Dora? N'avais-tu pas invité tout ce monde pour que la paix se fasse?

MRS. BRIMSTONE

La paix? La paix avec qui? Avec le diable? Anderson n'a pas le quart de ce qu'il mérite. Je voulais une exécution. Je l'ai eue. Même le pasteur y a contribué sans le savoir. Était-il assez benêt avec ses élans de charité professionnelle vers ce monstre!

MR. BRIMSTONE

Philip Anderson n'est pas un monstre. Il est très douteux qu'il ait tué sa femme.

MRS. BRIMSTONE

Sa femme? Qu'est-ce que cela peut me faire qu'il l'ait tuée ou non? S'il l'a poussée du haut de la falaise, sans doute avait-il de bonnes raisons pour le faire et cela ne me regarde pas, puisque la justice l'a laissé courir, mais il y a une autre justice, Brimstone.

(*Elle montre le plafond du doigt.*)

MR. BRIMSTONE

Une autre justice?

MRS. BRIMSTONE

Une justice impitoyable pour ceux qui se croient meilleurs que nous, un peu meilleurs que nous, un peu au-dessus, un peu en dehors du monde, parce que le monde ne les vaut pas tout à fait, notre monde, le tien, le mien, mais c'est nous qui ne voulons pas d'eux, à présent...

MR. BRIMSTONE

Ah, mais alors je comprends ce qu'il voulait dire...

MRS. BRIMSTONE

Tu comprends? Tu comprends enfin qu'aux yeux de cet homme nous n'avons pas plus d'intérêt que des réverbères.

MR. BRIMSTONE

Des réverbères?

MRS. BRIMSTONE

Tu n'as pas entendu, ce soir, des portes qui se fermaient avec un fracas épouvantable, l'une après l'autre et en série?

MR. BRIMSTONE

Mais non, je t'assure. Je n'ai rien entendu.

MRS. BRIMSTONE

Oh, ne prends donc pas tout au pied de la lettre ! Tu m'agaces ! Les portes qui se fermaient, la nôtre, celle des Pelham, celle des Fribble, celle des Bright, ces portes-là se fermaient en silence, mais il y a des cas où le silence peut faire un bruit de tonnerre, et c'est ce bruit qu'Anderson a dans les oreilles, maintenant, dans la voiture qui le ramène chez lui, avec son frère, avec sa femme, et avec sa fille Lucile qui va lui rester sur les bras, parce que ce freluquet de militaire va comprendre avec ce qui lui sert de cervelle que notre société n'ouvrira jamais ses salons...

(Le rideau commence à tomber.)

...à des gens qui se croient meilleurs que nous, et qu'en particulier le salon de Dora Brimstone est un peu plus difficile à prendre d'assaut que le fort de Sébastopol...

(Elle parle de plus en plus vite. La chute du rideau coupe son discours.)

RIDEAU

ACTE II

(A Edgware Place, dans le living-room. Au-dessus de la cheminée le portrait d'Evangéline. Philip Anderson assis dans un fauteuil regarde par la fenêtre. John debout, plie un numéro du Times.*)*

PHILIP ANDERSON

C'est tout?

JOHN ANDERSON

C'est tout. Les notices nécrologiques du *Times* sont d'un laconisme exemplaire. En tout cas, j'espère que te voilà rassuré. Ce malheureux est mort depuis quinze jours et il n'y a rien eu de ce que tu craignais.

PHILIP ANDERSON

Quinze jours... Comment se fait-il qu'on ait attendu si longtemps pour faire passer ces quelques lignes?

JOHN ANDERSON

Rien de très extraordinaire à cela. On aura suivi les instructions du défunt ou la famille aura jugé préférable de différer la publication de la nouvelle...

(Silence.)

PHILIP ANDERSON

Il n'y a rien eu d'autre dans la presse? Pas une allusion à…

JOHN ANDERSON

Absolument rien. J'ai vu les journaux les plus importants. Du reste, s'il y avait eu quelque chose, nous l'aurions su, nous l'aurions su avant tout le monde.

PHILIP ANDERSON

Je pense que tu as sans doute raison.

JOHN ANDERSON

Nous ne reparlerons jamais plus de cette affaire, n'est-ce pas?

PHILIP ANDERSON, *rêvant*.

Pauvre vieux James! Il a dû avoir une mort difficile. J'ai beau lui en vouloir, il y a toute une partie de moi-même qui se souvient du temps où je l'ai connu, là-bas, au collège.

JOHN ANDERSON, *stupéfait*.

Ces paroles dans ta bouche me donnent l'impression que je rêve.

PHILIP ANDERSON

Mais non. La mort de ceux que nous avons connus jadis nous rend notre jeunesse, pour quelques minutes au moins. Ce que cet homme a fait me remplit d'horreur, mais il n'a pas toujours été le criminel que je déteste. J'essaie d'être juste et de voir clair. Il y a eu un autre James Ferris, le James Ferris de vingt ans, celui que tu n'as jamais connu, mais qui nous éblouissait tous un peu, au collège, par la facilité de sa parole et, il faut le dire, par le charme de son intelligence. Dès qu'il paraissait, tout cessait d'être banal, ennuyeux. Je ne sais comment il s'y prenait.

JOHN ANDERSON

Nous avons tous connu de ces beaux parleurs, au collège.

PHILIP ANDERSON

Celui-là était plus qu'un beau parleur. J'ose croire qu'il était de la race des poètes.

JOHN ANDERSON

Oh, les poètes... Ton Ferris était d'origine galloise. C'était un Celte et les Celtes ont ce don. On les dit un peu sorciers.

PHILIP ANDERSON

Oui. Magiciens.

(Silence.)

Tu me garderas la notice du *Times*.

JOHN ANDERSON

Si j'ai un conseil à te donner, c'est de la jeter au feu. Tu m'as dit toi-même, il n'y a pas cinq minutes, que tu ne voulais pour rien au monde voir ce nom imprimé. N'est-ce pas pour cela que tu m'as demandé de te lire la notice? Crois-moi, Philip, oublie tout cela et ne garde rien qui puisse t'en faire ressouvenir.

PHILIP ANDERSON

Relis-moi la notice du *Times*.

JOHN ANDERSON

Tu es un homme difficile à comprendre.

(Il reprend le journal et lit.)

« Le samedi 23 février est décédé à son domicile, 22, East Terrace, après une longue maladie, James Ferris, âge de quarante-deux ans. L'inhumation a eu lieu dans la plus stricte intimité, le 26 février, au cimetière de Holborn. »

(Il replie son journal.)

PHILIP ANDERSON

Es-tu sûr qu'il n'y a rien d'autre?

JOHN ANDERSON

La famille a naturellement ajouté un verset de la Bible. Cela fait plus respectable.

PHILIP ANDERSON

Pourquoi ne l'as-tu pas lu?

JOHN ANDERSON, *rire forcé*.

J'avoue que cela me gêne un peu de lire une citation de la Bible. Je n'ai pas la voix qu'il faut pour cela.

PHILIP ANDERSON

Lis.

JOHN ANDERSON, *il reprend le journal et lit*.

« ... Car l'amour est fort comme la mort... » Cantique de Salomon, chapitre VIII, verset 6.

PHILIP ANDERSON, *se levant*.

« ... L'amour est fort comme la mort... » Ce n'est pas sa famille qui a choisi ce texte, c'est lui.

JOHN ANDERSON

Il pensait sûrement à sa femme.

PHILIP ANDERSON

Il ne pensait pas à sa femme. Il pensait à Évangéline. « ... L'amour est fort comme la mort et la jalousie dure comme la tombe. » Il savait très bien que j'aurais connaissance de cet avis et que j'achèverais la citation, et la fin de la citation est pour moi. Quel mal il me fait encore !

JOHN ANDERSON

Il ne t'en fera plus désormais, si tu es assez fort pour le vaincre.

PHILIP ANDERSON

Le vaincre? Je ne peux pas vaincre le souvenir. Après avoir tué ma femme, ce que ce misérable a fait de pire a été de me révéler qu'elle était innocente. Depuis qu'il m'a dit cela, tout l'amour que j'avais pour Évangéline est ressuscité dans mon cœur. Non. Ce n'est pas vrai. Je n'ai jamais cessé de l'aimer, mais je ne le savais pas. Il a fallu que cet homme me l'apprenne, il a fallu...

JOHN ANDERSON, *allant vers lui*.

Calme-toi.

PHILIP ANDERSON, *avec effort*.

C'est bien.

(Silence.)

Qu'ai-je dit?

(Il se passe les deux mains sur le front et garde le silence un instant.)

Je ne sais pas comment j'ai pu te parler de lui comme je l'ai fait tout à l'heure. Tu avais raison d'être surpris, mais les hommes de notre âge deviennent absurdement sentimentaux quand ils se souviennent de leur jeunesse, et je voyais James Ferris tel qu'il n'a jamais été. Même au collège, je me méfiais de lui. C'était instinctif. Son bavardage me divertissait, et pourtant, j'avais honte, j'étais mal à mon aise avec lui...

JOHN ANDERSON

Allons, c'est assez parler de cet homme. Il est mort.

PHILIP ANDERSON

Et s'il y a une justice dans l'autre monde, il brûle, tu m'entends? En ce moment même, il expie, en ce moment où nous parlons dans cette pièce, avec le tic-tac de cette pendule dans le silence... Oh, je sais. Tu ne crois pas à ces choses mais moi, j'y crois, et fortement.

JOHN ANDERSON

Restons sur cette terre et laissons les problèmes de l'autre monde. Tu es encore jeune. Tu as

une femme qui t'aime et que tu aimes. Si!...
que tu aimes.

PHILIP ANDERSON

Je ne l'aime pas comme j'aimais l'autre.

JOHN ANDERSON, *continuant*.

Nous habitons une des maisons les plus agréables du pays. Enfin, Lucile est fiancée...

PHILIP ANDERSON, *haussant les épaules*.

Elle n'est pas du tout amoureuse. Entre nous je la comprends. Son capitaine a à peu près autant de tête et de cœur qu'une gravure de mode.

JOHN ANDERSON

Ce mariage ne te sourit pas, je le sais. As-tu un autre parti en vue pour Lucile?

PHILIP ANDERSON

Moi? Non.

JOHN ANDERSON

Après cette soirée désastreuse chez les Brimstone, il est extraordinaire que le petit Killigrew n'ait pas changé d'avis.

PHILIP ANDERSON

Peut-être ma fille changera-t-elle d'avis avant lui.

JOHN ANDERSON

Mais nous ne connaissons pas bien Killigrew. Lucile finira peut-être par l'aimer.

PHILIP ANDERSON

Lucile n'a jamais été et ne sera jamais qu'une petite fille, comme sa mère. Elle ne pourra jamais s'intéresser à un petit freluquet mondain. Et puis, ton optimisme a quelque chose qui me ferait sourire, si j'étais d'humeur à sourire.

JOHN ANDERSON, *avec froideur*.

J'essaie de réparer quelques-unes de tes erreurs.

MILLIN, *entrant*.

Monsieur...

PHILIP ANDERSON

Qu'y a-t-il, Millin?

MILLIN

Il y a un homme en bas qui voudrait vous parler.

PHILIP ANDERSON

Quel homme? Comment s'appelle-t-il?

MILLIN

Il s'appelle David… quelque chose. Ma foi, j'ai oublié son nom, Monsieur.

JOHN ANDERSON

C'est sans doute en réponse à la demande que tu as fait insérer dans le *Times*. Ils viennent presque tous les jours.

MILLIN

En effet, Monsieur. Le jeune homme a dit qu'il venait offrir ses services.

JOHN ANDERSON

Comment est-il? A-t-il l'air convenable?

MILLIN

Oui. Il ne présente pas mal. Il est poli et il paraît très propre.

PHILIP ANDERSON

Millin dit presque toujours cela. Ceux qu'on engage restent un mois et on s'aperçoit ensuite qu'il manque une cuiller d'argent ou des boutons de manchettes.

MILLIN

Pour celui-ci, Monsieur, je n'en jurerais pas, mais il a l'air honnête.

PHILIPP ANDERSON

Sérieux?

MILLIN

Sérieux, oui, et en même temps, ce qu'on appelle une physionomie ouverte, si je puis dire.

PHILIP ANDERSON

Je me méfie.

JOHN ANDERSON

Au lieu d'interroger Millin, il serait plus simple de faire monter cet homme.

PHILIP ANDERSON

Vois-le à ma place, veux-tu? Cela m'assomme, ces interrogatoires que je leur fais subir. « Quel âge avez-vous? Où avez-vous servi? Montrez-moi vos certificats. » Millin, faites monter.

(Millin s'incline et sort.)

Je m'en remets à toi, John. Je vais prévenir Edith qu'elle peut prendre la voiture si elle veut, cet après-midi.

JOHN ANDERSON

Tu ne sors pas tantôt?

PHILIP ANDERSON

Si, mais j'irai là-haut à pied.

JOHN ANDERSON

Là-haut?

(Silence.)

Veux-tu que je t'accompagne?

PHILIP ANDERSON

Non.

(Il sort.)

JOHN ANDERSON, *seul à mi-voix.*

J'aurais dû insister. Quelles mauvaises pensées nous viennent quelquefois...

(Entrent Millin suivi de David Grey portant une petite valise à la main.)

C'est bien, Millin. Vous pouvez vous retirer.

(Millin s'incline et sort. A David Grey.)

Avancez, s'il vous plaît.

(David Grey avance de quelques pas.)

Comment vous appelez-vous?

DAVID GREY

David Grey.

JOHN ANDERSON, *le reprenant*.

David Grey, Monsieur, n'est-ce pas?

DAVID GREY

Oui... Monsieur.

JOHN ANDERSON

Montrez-moi vos certificats.

DAVID GREY

Mes certificats? Je n'en ai pas. Il faut vous dire que je n'ai jamais servi.

JOHN ANDERSON

Vous figurez-vous que je vais prendre quelqu'un sans certificats?

DAVID GREY

Je n'ai pas de certificats, mais j'ai une lettre.
(Il met la main sur sa poitrine.)
Là, dans ma poche. Je dois la remettre en mains propres.

JOHN ANDERSON

Donnez-la-moi.

DAVID GREY

Vous êtes bien Mr. Philip Anderson?

JOHN ANDERSON

Non, je suis son frère. Allons, vite, cette lettre.

DAVID GREY

Si vous n'êtes pas Mr. Philip Anderson, vous n'avez pas le droit de la lire.

(Geste de John Anderson.)

Oh, je vous en supplie, ne vous énervez pas ! Tenez, je vais la poser là, sur le bureau.

(Il lève le doigt.)

Mais vous ne la toucherez pas !

(Il pose la lettre sur le bureau.)

JOHN ANDERSON, *éclatant de rire*.

Je crois que jamais encore on ne m'avait parlé sur ce ton, mais il est clair que vous ne vous rendez pas compte de ce que vous dites. Voulez-vous me donner ce petit plateau de cuivre qui se trouve là-bas, sur ce guéridon.

DAVID GREY

Avec plaisir.

JOHN ANDERSON

Dites plutôt : « Oui, Monsieur. »

DAVID GREY

Oui, Monsieur.

*(Il va chercher le plateau de cuivre
et le tend à John Anderson.)*

JOHN ANDERSON

C'est bien.

DAVID GREY

Vous n'en voulez pas?

JOHN ANDERSON

Non. Posez-le là. Je voulais voir quelque
chose. Il faut vous incliner un peu quand vous
tendez un objet.

DAVID GREY

M'incliner devant un homme? Cela me paraît
si drôle!

JOHN ANDERSON

Vous apprendrez. C'est très simple. Dites-
moi, mon garçon, où vous a-t-on élevé?

DAVID GREY

A la campagne, dans le Devonshire. Mon
oncle s'est chargé de mon éducation, parce que
mon père ne le pouvait pas. Si vous voulez,
je vais vous expliquer...

JOHN ANDERSON, *lui coupant la parole*.

Vous ne parlez pas comme un garçon de la campagne. Je suppose que vous savez lire.

DAVID GREY

Oui. Et vous, vous lisez beaucoup?

JOHN ANDERSON, *stupéfait*.

Moi?

DAVID GREY

Oui. Vous avez lu tous ces livres? Les poètes anglais que je vois là-haut?

JOHN ANDERSON

Mais, mon garçon, vous ne devez jamais, jamais poser de questions à vos supérieurs.

(Il se lève et sonne.)

Vous m'entendez?

DAVID GREY

Oui.

(Il se reprend.)

Oui, Monsieur.

JOHN ANDERSON

Avez-vous déjeuné, ce matin?

DAVID GREY

Non, Monsieur.

JOHN ANDERSON

On vous servira à déjeuner en bas. Pendant ce temps, je parlerai de vous à mon frère.

DAVID GREY

Alors, je reste, Monsieur?

JOHN ANDERSON

Je ne suis pas encore sûr que vous nous conveniez. Je vais voir. Vous allez attendre à l'office. Dans un moment je vous ferai chercher.

(Millin entre.)

Millin, vous servirez quelque chose à ce jeune homme qui doit avoir faim. Il attendra à l'office. Et vous demanderez à Mr. Philip de venir me parler. Il doit être au petit salon.

(Millin s'incline. David Grey regarde autour de lui avec admiration.)

DAVID GREY

Il me semble que toute ma vie, j'ai rêvé à cette pièce où nous sommes.

JOHN ANDERSON

Que dites-vous? Allons, mon ami, laissez-moi.

> *(David Grey va vers la porte.)*

N'oubliez pas votre valise.

> *(David Grey revient chercher sa valise et suit Millin. John Anderson va vers le bureau et prend la lettre qu'il examine, puis la laisse retomber en riant à mi-voix.)*

« Vous n'y toucherez pas! » On ne peut même pas appeler ça de l'impertinence. Il ne se rend pas compte.

> *(Il regarde par la fenêtre, revient vers le bureau, jette de nouveau un coup d'œil sur la lettre.)*

David Grey... Ce n'est pas le nom d'un homme du peuple.

> *(Entre Philip Anderson.)*

PHILIP ANDERSON

Eh bien?

JOHN ANDERSON

Eh bien, mon avis est que tu voies ce garçon, parce qu'à vrai dire, je ne sais que penser de lui. Il m'a paru un peu simple.

PHILIP ANDERSON

Enfin est-il possible?

JOHN ANDERSON

On pourrait toujours l'essayer. Millin saura peut-être nous le dresser.
> *(Il désigne la lettre sur le bureau.)*

Cette lettre est pour toi.

PHILIP ANDERSON

Une lettre?
> *(Il prend la lettre et regarde son frère.)*

John, qui a apporté cette lettre?

JOHN ANDERSON

Mais le garçon de tout à l'heure.

PHILIP ANDERSON, *la lettre à la main.*

Te rends-tu compte que c'est l'écriture de Ferris?

JOHN ANDERSON

Quelle folie dis-tu là? James Ferris?

PHILIP ANDERSON

S'il y a une écriture qui m'est familière, c'est la sienne. Elle n'a presque pas changé. Ce garçon que tu as vu tout à l'heure est le fils de James Ferris.

JOHN ANDERSON

C'est impossible. Il s'appelle David Grey.

PHILIP ANDERSON

Il a menti pour s'introduire chez nous. Son père m'avait prédit cette visite.

JOHN ANDERSON

Tu rêves. Il n'y a aucun rapport entre ce garçon et James Ferris.

PHILIP ANDERSON

Mais tu n'a jamais connu James Ferris que lorsqu'il était malade et prématurément vieilli. Je sais ce que je dis.

JOHN ANDERSON

Voilà encore ton imagination qui travaille...

PHILIP ANDERSON

Mais non. Ne te souviens-tu pas des paroles que Ferris m'a dites chez les Brimstone? « Mon fils viendra avec un message de ma part, et si je suis en vie, ce message aura un sens, et si je suis mort, il en aura un autre. »

JOHN ANDERSON

Allons, Philip, lis cette lettre.

PHILIP ANDERSON

Non.

JOHN ANDERSON, *lui prenant la lettre des mains.*

Donne-la-moi. Je n'aime pas les hommes qui flanchent et vraiment j'ai honte de te voir trembler devant une feuille de papier.

(Il ouvre la lettre près de la fenêtre, la retourne, l'examine.)

Eh bien, c'est une mauvaise plaisanterie. Il n'y a rien.

PHILIP ANDERSON

Rien?

JOHN ANDERSON

Non, rien. Une feuille blanche. Pas un mot.

PHILIP ANDERSON

Un message... J'aurais compris n'importe quel message, mais une feuille blanche, une feuille blanche!

JOHN ANDERSON, *avec froideur*.

Une feuille blanche ne veut rien dire. C'est ridicule.

PHILIP ANDERSON

Elle peut vouloir dire tout ce qu'on voudra de bien ou de mal, parce qu'on peut y mettre ce qu'on veut. Pourquoi Ferris ne me laisse-t-il pas en paix?

JOHN ANDERSON

Laisse Ferris tranquille. Il est mort et tu en parles comme s'il était vivant.

PHILIP ANDERSON

Mais il est vivant. Il est dans cette maison. Il est revenu.

JOHN ANDERSON

Allons, Philip, remets-toi, je t'en prie.
 (Il étend le bras vers la sonnette.)
Il n'y a pas à hésiter.

PHILIP ANDERSON, *l'arrêtant d'un geste*.

Que vas-tu faire?

JOHN ANDERSON

Dire à Millin d'éconduire immédiatement ce garçon.

PHILIP ANDERSON

Non. Je veux le voir.

JOHN ANDERSON

Mais, enfin, pourquoi?

PHILIP ANDERSON

Je suis sûr que c'est le fils de James Ferris et il est indispensable que je sache pourquoi il est venu ici, de quel message il est le porteur.

JOHN ANDERSON, *prend la feuille blanche.*

Le beau message, en effet. On se moque de toi, Philip.

PHILIP ANDERSON

Cela me regarde. J'éclaircirai cette affaire moi-même.

JOHN ANDERSON

Mais tu es blanc. Jamais encore je ne t'ai vu dans cet état. Tu as peur, Philip. Dans ces circonstances, crois-tu vraiment qu'il soit raisonnable...

PHILIP ANDERSON, *sonnant.*

Je suis le maître chez moi. Je désire voir ce garçon et l'interroger moi-même.

JOHN ANDERSON

Tu le verras si tu veux, mais je crains que tu ne lui parles d'une façon imprudente.

PHILIP ANDERSON

Que veux-tu dire?

JOHN ANDERSON

Je veux dire que même s'il est le fils de James Ferris, comme tu le crois, il ignore sans doute ce qui s'est vraiment passé sur la falaise.

PHILIP ANDERSON

Nous ne parlerons pas de cela!

(Millin entre.)

Millin, dites au jeune homme qui s'est présenté tout à l'heure de venir ici.

(Millin s'incline et sort.)

JOHN ANDERSON

Ne désires-tu pas que j'assiste à cet entretien?

PHILIP ANDERSON

Non.

JOHN ANDERSON

Comme tu voudras.

(Il sort.)

PHILIP ANDERSON, *seul*.

Oui, j'ai peur et je tremble. Il a raison. Mes mains tremblent. C'est honteux. Mais pour rien au monde je ne quitterais cette pièce. Il y a des semaines que j'attends cette minute et maintenant elle est là, elle m'écrase. D'une manière ou d'une autre. Je savais que tu viendrais, James. J'entre tout éveillé dans un mauvais rêve et je veux savoir ce qui va se passer. Je ne peux plus attendre.

(Il reste immobile un moment, les yeux fixés sur la porte qui s'ouvre enfin et livre passage à David Grey.)

DAVID GREY

Vous m'avez fait appeler, Monsieur.

PHILIP ANDERSON

Oui.

DAVID GREY

Vous êtes Mr. Philip Anderson?

PHILIP ANDERSON

Oui.

(Silence.)

Je n'ai pas besoin de vous demander qui vous êtes. La ressemblance dépasse tout ce que j'attendais.

DAVID GREY

Elle semble toujours frapper ceux qui ont connu mon père à vingt ans.

PHILIP ANDERSON

Vous entrez chez moi sous un faux nom. Vous ne portez même pas le deuil de celui que vous avez perdu. Que voulez-vous?

DAVID GREY

J'obéis aux dernières volontés de mon père. Il désirait beaucoup que je vienne vous voir.

PHILIP ANDERSON

Pourquoi?

DAVID GREY

La lettre qu'on vous a remise de sa part a dû vous l'expliquer.

PHILIP ANDERSON

Mon ami, vous moquez-vous de moi? Vous connaissez le contenu de cette lettre.

DAVID GREY

Monsieur, je ne songe pas à me moquer de vous. Je n'ai pas lu la lettre en question : elle m'a été remise cachetée.

PHILIP ANDERSON

La ruse par laquelle vous avez pénétré ici ne me permet pas de vous croire. Vous rendez-vous compte qu'il est indigne de s'introduire chez les gens à la faveur d'un mensonge?

DAVID GREY

Sans doute, mon père pensait-il que vous ne me recevriez pas si vous aviez le soupçon que j'étais son fils.

PHILIP ANDERSON

Cela n'est pas une excuse.

DAVID GREY

Mr. Douglas était d'accord avec mon père sur la ligne de conduite que j'aurais à suivre.

PHILIP ANDERSON

Mr. Douglas? Quel Mr. Douglas?

DAVID GREY

Mais votre beau-frère, Monsieur. Le frère de cette dame à qui il est arrivé un accident.

PHILIP ANDERSON

Asseyez-vous.
(Ils s'assoient tous deux à une certaine distance l'un de l'autre.)

Mr. Douglas voyait-il souvent votre père?

DAVID GREY

Dans les derniers temps, oui.

PHILIP ANDERSON

Et de quoi parlaient-ils?

DAVID GREY

Je ne sais pas. Il ne m'était jamais permis d'assister à leurs entretiens.

PHILIP ANDERSON

Mon ami, je vous ai parlé un peu rudement tout à l'heure. Vous mettrez cela sur le compte de la surprise et vous l'oublierez, s'il vous plaît. Je voudrais vous poser une question au sujet de Mr. Douglas. Était-il, lui aussi, d'avis que vous veniez me voir?

DAVID GREY

Oh, il y tenait beaucoup. Il m'a accompagné à la gare ce matin et il a lui-même pris mon billet.

PHILIP ANDERSON

Mais pourquoi voulait-il que vous veniez chez moi?

DAVID GREY

Pour vous offrir mes services.

PHILIP ANDERSON

Il y a bien des gens dans le pays à qui vous pourriez offrir vos services.

DAVID GREY

Oui, mais mon père et Mr. Douglas tenaient à ce que je sois ici, à Edgware Place.

PHILIP ANDERSON

Bien. Mais pourquoi?

DAVID GREY

Oh, je n'en sais rien. Je n'osais pas poser de questions à mon père, parce qu'il était trop malade, et je ne posais jamais de questions à Mr. Douglas, parce que c'était Mr. Douglas.

PHILIP ANDERSON

Que voulez-vous dire?

DAVID GREY

Je veux dire qu'on ne pose pas de questions à Mr. Douglas. Quand il a une idée en tête, il vaut mieux faire ce qu'il dit : c'est plus simple et c'est plus court.

PHILIP ANDERSON

Enfin, de quoi se mêle-t-il en vous faisant venir ici?

DAVID GREY

Vous aurez l'occasion de le lui demander, car il m'a dit qu'il comptait vous écrire et vous rendre visite.

PHILIP ANDERSON

Je ne le recevrai pas. Qu'est-ce que cette conspiration et pourquoi ne me laisse-t-on pas tranquille? Savez-vous que je n'aurais qu'à sonner pour qu'un valet vous reconduise à la grille du parc dans l'espace de cinq minutes?

DAVID GREY

Mais peut-être ne sonnerez-vous pas.

PHILIP ANDERSON

Qu'est-ce qui vous donne cette assurance?

DAVID GREY

Je suppose que vous ne m'auriez pas fait monter ici pour me chasser de chez vous.

PHILIP ANDERSON

Mon ami, si je commettais l'erreur de vous prendre à mon service, je vous assure qu'avant le coucher du soleil, vous apprendriez à me parler sur un autre ton. Je reconnais que je voulais savoir de quoi vous aviez l'air et si vous ressembliez à l'homme qui fut mon camarade de collège.

DAVID GREY, *prenant sa valise*.

Votre curiosité étant satisfaite, il ne me reste plus qu'à prendre congé de vous, mais Mr. Douglas en aura de la peine.

PHILIP ANDERSON

Vous allez revoir Mr. Douglas?

DAVID GREY

Sans aucun doute, si je quitte Edgware Place. C'est une affaire entendue avec lui, et quand une affaire est entendue avec Mr. Douglas...

PHILIP ANDERSON

Allons, posez votre valise et asseyez-vous. Nous n'en sommes pas à une heure près. Mais il faut essayer de me comprendre. Sans vous faire de nouveaux reproches, il se trouve que je suis la victime d'une espèce d'intrusion.

DAVID GREY

Un jour, mon père a dit devant moi à Mr. Douglas : « Ce qui importe, c'est que mon fils ait un pied à Edgware Place. »

PHILIP ANDERSON

Vraiment ! Et peut-on savoir ce qu'a répondu Mr. Douglas ?

DAVID GREY

Mr. Douglas a répondu : « Un pied ? Pourquoi pas deux ? » C'est comme ça qu'il est, Mr. Douglas.

PHILIP ANDERSON

Je ne suis pas d'humeur à plaisanter.

DAVID GREY

Je ne songe pas à plaisanter. Je dis simplement ce qui est. Du reste, je dis toujours ce qui est. Je ne mens jamais, sauf quand on m'y oblige.

PHILIP ANDERSON

Voulez-vous essayer de répondre à une question avec toute la sincérité dont vous êtes capable ?

DAVID GREY

Je veux bien essayer pour vous faire plaisir.

PHILIP ANDERSON

Eh bien, vous me disiez il y a un instant que Mr. Douglas aurait de la peine si vous quittiez Edgware Place.

DAVID GREY

Oui. Et c'est toujours mauvais quand Mr. Douglas a de la peine.

PHILIP ANDERSON

Mais vous, mon ami, auriez-vous aussi de la peine?

DAVID GREY

Oui.

PHILIP ANDERSON

Ah, voilà qui est intéressant. Dites-moi franchement... Tenez, ne restez pas assis sur le bord de cette chaise. Prenez ce fauteuil. Vous serez mieux.

DAVID GREY, *s'asseyant dans un fauteuil.*

Vous avez raison. On est mieux. Moi, voyez-vous, c'est plus compliqué. D'une certaine manière, j'ai toujours vécu ici.

(*Philip Anderson fait un geste.*)

J'étais sûr que cela vous étonnerait, ce que je dis là. Vous n'allez pas sonner?

PHILIP ANDERSON

Je vous assure qu'il n'en est pas question. Dites-moi le fond de votre pensée, en toute confiance.

DAVID GREY

Il me semble que toute ma vie, j'ai rêvé d'habiter ici, et j'y rêvais si fortement que parfois je croyais y être.

PHILIP ANDERSON

Comment cela?

DAVID GREY

Mon père me parlait d'Edgware Place. Je ne puis vous dire combien de fois il m'a décrit cette pièce où nous sommes. Il la connaissait à merveille. Souvent, il s'y promenait avec moi. C'était un jeu, vous comprenez. Il me disait : « Nous allons faire un tour dans la grande pièce du premier étage, là-bas. » Alors, il me prenait par la main, et au lieu d'être chez nous, où il faisait sombre et où tout avait l'air si triste, je ne sais comment, nous étions ici. Mon père me décrivait les meubles et je les voyais. Puis nous nous asseyions devant le feu, quand il faisait froid, mais mon père préférait les fins d'après-midi, l'été, quand les fenêtres restaient ouvertes et que les derniers rayons du soleil faisaient briller les couleurs du tapis, là, voyez-vous?

(Il désigne un point du tapis. Philip Anderson se lève.)

Cela vous déplaît, ce que j'ai dit?

PHILIP ANDERSON

Non. Continuez, je vous prie.

DAVID GREY

On dirait que vous tremblez.

PHILIP ANDERSON

Cela n'est rien. J'ai pris froid. Voulez-vous continuer? Je vous assure que je vous écoute avec beaucoup d'attention.

DAVID GREY

Mon père était un peu ce qu'on appelle un rêveur, comme moi.
(Il rit doucement.)

Il disait : « Cette maison-là, c'est celle où j'aurais voulu vivre, et j'y retournerai un jour. Et si je ne peux y retourner, c'est toi qui iras à ma place. » Vous vous demandiez tout à l'heure ce que je venais faire chez vous. Eh bien, voilà peut-être la réponse! C'est comme si mon père était ici, d'autant plus qu'il y a cette ressemblance.

PHILIP ANDERSON, *se laissant tomber dans un fauteuil.*

Ah, taisez-vous!

DAVID GREY

Vous voyez, j'ai eu tort de parler.

PHILIP ANDERSON

Non. Vous ne pouvez pas comprendre. Je ne me sens pas bien.

DAVID GREY

Voulez-vous que j'appelle quelqu'un?

PHILIP ANDERSON

Non.
> (Il se lève et se tient devant le portrait. David Grey vient se placer derrière lui.)

DAVID GREY

Comme cette femme est belle!

PHILIP ANDERSON, *se retournant brusquement*.

Je vous interdis de la regarder.

DAVID GREY

Qu'y a-t-il? Qu'avez-vous? Je regarde ce portrait.

PHILIP ANDERSON

Eh bien, regardez-la, cette femme. C'est ma femme. Regarde-la donc, James Ferris! C'est

Évangéline. Elle n'est pas morte, elle est là. N'est-ce pas qu'elle est belle dans sa robe bleue? Mais regardez-la!

(Il prend David Grey par le bras et le secoue en parlant.)

DAVID GREY

Lâchez-moi!

(Il se dégage et recule d'un pas ou deux.)

Qu'est-ce que je vous ai fait?

PHILIP ANDERSON, *il le regarde un instant.*

Rien... Rien, mais dans les mêmes circonstances, vous auriez été comme votre père devant cette femme.

DAVID GREY

Qu'en savez-vous? Il faudrait que je sois le même homme devant la même femme.

PHILIP ANDERSON, *marchant sur lui.*

Et alors?

DAVID GREY

Et alors quoi?

PHILIP ANDERSON

Vous savez ce qui s'est passé?

DAVID GREY

Je sais ce que tout le monde sait. Je sais ce que tout le monde a dit.

PHILIP ANDERSON

On a menti. Il y a eu un accident, rien d'autre.

DAVID GREY

Tout à l'heure, vous parliez autrement.

PHILIP ANDERSON

Tout à l'heure, j'ai cédé à un mouvement d'impatience et les mots sont allés fort au-delà de ma pensée. Il faut oublier cela, mon ami. En vous voyant, j'ai l'impression que votre père est devant moi et qu'au lieu d'avoir quarante ans, j'en ai vingt. C'est peut-être pour cela que la vie réelle me fait l'effet de se transformer autour de moi et que je crois marcher dans un rêve.

(Il va vers le bureau et sonne.)

DAVID GREY

Vous désirez que je quitte Edgware Place?

PHILIP ANDERSON

Oh, non. Je veux savoir.

DAVID GREY

Que voulez-vous savoir?

PHILIP ANDERSON

Comment le rêve va finir.

> *(Entre Millin.)*

Millin, prenez la valise de Mr. Grey, et portez-la à la chambre d'invité, au second étage.

> *(A David Grey.)*

Vous voudrez bien revenir ici dans un moment. Je vous présenterai à ma femme et à ma fille.

> *(Entre John Anderson.)*

JOHN ANDERSON, *à Philip, à mi-voix*.

J'étais en bas, dans le petit salon. Il m'a semblé entendre des éclats de voix. J'espère que rien de fâcheux ne s'est produit.

PHILIP ANDERSON

Non, rien.

> *(Il fait un signe de tête à Millin qui écoute. Millin sort, suivi de David Grey.)*

J'ai invité David Grey à passer quelques jours à Edgware Place. Il va de soi qu'aucune allusion ne sera faite à James Ferris. David Grey est le fils d'un camarade de collège que j'ai perdu de vue depuis longtemps.

JOHN ANDERSON

Tu l'as invité à passer quelques jours ici? J'avoue que je ne comprends pas.

PHILIP ANDERSON

Mettons que ce soit par curiosité. La ressemblance entre le père et le fils est hallucinante. Je veux savoir jusqu'où elle va sur le plan moral.

JOHN ANDERSON

Réfléchis, Philip. N'est-il pas un peu absurde de t'exposer à voir tous les jours quelqu'un qui va te rappeler à son insu les heures les plus pénibles?

PHILIP ANDERSON

A son insu?... J'agirai comme je l'entends. Pour le moment, je veux être seul. Seul.

(Il va brusquement vers la porte et sort.)

JOHN ANDERSON, *seul*.

Comme la peur circule autour de lui! On dirait qu'elle le fascine et qu'il a besoin d'elle.

(Il prend sur le bureau la lettre de James Ferris, la regarde et, au moment où la porte

*s'ouvre, la met dans sa poche. Entre
Mrs. Anderson.)*

MRS. ANDERSON

Qu'y a-t-il, John ? Je viens de croiser Philip au bas de l'escalier. Quand j'ai voulu lui parler, il a simplement fait un geste de la main et il est sorti.

JOHN ANDERSON

Il est dans un de ses mauvais jours. Cela passera. Cela passe toujours. Généralement cela se termine par une excursion à la falaise de Bleak Wood.

MRS. ANDERSON

Je déteste cet endroit. S'il y va aujourd'hui, voulez-vous l'accompagner ? Je sais que cela doit vous paraître un peu ridicule.

JOHN ANDERSON

Pas le moins du monde, mais vous le connaissez comme moi et vous savez qu'il ne se rend jamais que seul à Bleak Wood. Il ne souffre pas qu'on l'y suive.

MRS. ANDERSON

Il y a des moments où je ne sais quoi le pousse à se promener de ce côté-là. Mais comment ne

saurais-je pas? Ce sont les heures où il pense
à elle. Excusez-moi de vous parler ainsi, John.
Je sais que s'il y a quelqu'un au monde en qui
je puis avoir confiance, c'est vous.

JOHN ANDERSON

Ai-je besoin de vous rappeler ce que je vous
ai avoué, il y a trois ans?

MRS. ANDERSON

Non. Je n'ai pas oublié. Je vous suis reconnaissante de vous être tu.

JOHN ANDERSON

Je me suis tu, mais mes sentiments n'ont pas
changé. Si je n'ai pas quitté Edgware Place au
moment de votre mariage, c'est à cause de vous,
et si j'y suis encore, c'est à cause de vous.

MRS. ANDERSON

Je sais. Je sais que vous n'êtes pas heureux
et j'ai pourtant besoin de sentir que vous êtes
là. C'est affreusement injuste.

JOHN ANDERSON

Ce n'est pas injuste. J'aurais pu partir si je
l'avais voulu. Je le puis encore et ne le veux
pas.

MRS. ANDERSON

J'aime Philip. Je l'aime et je tremble. J'ai peur qu'il ne lui arrive quelque chose. Oh, John, c'est à vous seul que je puis avouer cela : j'ai peur d'Évangéline.

JOHN ANDERSON

Edith, je ne puis vous comprendre. Évangéline n'est plus là.

MRS. ANDERSON

C'est pourtant cette femme qu'il aime, qu'il n'a jamais cessé d'aimer. On n'aime pas deux fois de cette façon-là. Moi...

JOHN ANDERSON

Vous savez bien qu'il vous adore.

MRS. ANDERSON

Ce sont là des mots, John. Il m'adore, oui. Il ne m'aime pas. Il m'adore comme une personne dont on ne voit pas les défauts et dont la compagnie vous semble indispensable — mais il n'est pas jaloux. Je ne l'ai jamais encore vu en colère contre moi.

JOHN ANDERSON

Edith, quelles étranges pensées vous avez en tête !

MRS. ANDERSON, *rire forcé*.

N'est-ce pas? Il y a des jours où je suis presque certaine que ces rumeurs qui ont couru sur lui... Non, ne détournez pas les yeux!

JOHN ANDERSON

Eh bien, Edith?

MRS. ANDERSON

C'est presque impossible à dire, mais je ne puis repousser le soupçon que ce qu'on a dit était vrai et qu'il a tué cette femme... par amour. Riez si vous pouvez : j'aurais voulu être cette femme. Elle avait son cœur. Moi, je n'en peux plus d'être amoureuse d'un homme qui ne m'aime pas, parce que je ne suis à ses yeux qu'une belle âme, et dont la rivale est une morte.

JOHN ANDERSON

Comment pouvez-vous dire des choses aussi affreuses? D'abord vous savez très bien qu'il ne pourrait pas vivre sans vous.

MRS. ANDERSON

Vous vous trompez. Il pourrait très bien vivre sans moi, alors qu'il ne peut vivre sans elle. Dix ans ont passé et il la cherche encore.

Il la demande aux murs, aux objets qu'elle a tenus dans ses mains, aux arbres qui l'ont vue mourir, là-haut, dans ce petit bois. Elle est dans son regard quand on lui parle et qu'il ne répond pas. Elle est dans son silence. Moi, je ne suis nulle part dans sa vie. Je passe devant ses yeux et il ne me voit pas. S'il y a, comme on le dit, un fantôme à Edgware Place, regardez-le : c'est moi !

(Elle porte les mains à ses yeux.)

JOHN ANDERSON

Edith, vous n'avez jamais parlé ainsi.

MRS. ANDERSON

Je n'ai jamais parlé ainsi parce qu'on ne doit pas. Je viens de faire ce qu'on ne doit pas faire. J'avais mal et j'ai crié. Est-ce que vous-même, un jour, étouffant dans cet éternel silence que nous impose l'éducation, vous ne m'avez pas dit ce que vous aviez sur le cœur ? Je vous fais souffrir malgré moi, mais vous pouvez me le dire et c'est à moi que vous pouvez vous plaindre. Moi, je suis muette devant un homme qui ne soupçonne rien de ce que j'éprouve.

(Silence.)

C'est fini. Désormais je me tairai.

JOHN ANDERSON

Avec quelle attention j'écouterais même l'aveu d'un amour qui me blesse, puisque je n'en suis pas l'objet! Votre confiance me fait vivre, Edith.

MRS. ANDERSON

Vous l'avez tout entière, mais je ne parlerai plus.

(*Elle se lève.*)

Il me semble qu'on vient. Ai-je les yeux rouges? Je ne veux pas qu'on me voie comme cela. Si c'était Philip...

JOHN ANDERSON

C'est peut-être un jeune homme qui s'appelle David Grey et que Philip a invité à passer quelques jours à Edgware Place parce qu'il a connu son père au collège.

MRS. ANDERSON, *souriant*.

J'espère qu'il n'est pas trop ennuyeux et qu'il ne va pas faire les yeux doux à Lucile.

JOHN ANDERSON

Quand vous souriez ainsi, je me sens presque heureux.

*(Mrs. Anderson sort par la gauche.
David Grey entre par la droite.)*

DAVID GREY

Mr. Philip Anderson m'a prié de le retrouver ici. Il doit me présenter à sa femme et à sa fille. Vous et moi, nous nous connaissons déjà.

JOHN ANDERSON

Très suffisamment, en ce qui me concerne.
*(Il va vers la porte
et, au moment de sortir, se retourne.)*

Vous avez peut-être remarqué dans votre chambre, sur la table qui est au chevet de votre lit...

DAVID GREY

Une Bible.

JOHN ANDERSON

Il ne s'agit pas de la Bible, mais d'une brochure très discrète, bleu pâle : l'horaire des chemins de fer de tout le Royaume-Uni. Un jour viendra où il vous sera utile de savoir l'heure des trains en direction de Londres.

DAVID GREY

Mais peut-être ce jour ne viendra-t-il pas.

Qui sait? En tout cas, j'ai jeté la brochure dont vous parlez sur le haut de l'armoire.

JOHN ANDERSON, *stupéfait.*

Vraiment!

DAVID GREY

Vraiment, oui. Mon père m'a dit que si j'arrivais seulement à mettre un pied à l'intérieur d'Edgware Place, il fallait y rester coûte que coûte.

JOHN ANDERSON

Voilà qui est un peu fort. Mon ami, nous reprendrons cette conversation une autre fois.

> *(Il donne avec ostentation un tour à la clef d'un secrétaire, la met dans sa poche et sort.*
>
> *David Grey fait le tour de la pièce comme s'il cherchait quelque chose, puis saisi d'une idée subite, il va droit à une petite étagère accrochée à droite de la cheminée et y prend un livre qu'il examine. Entre Lucile.)*

LUCILE

Tiens, qui êtes-vous?

DAVID GREY, *une hésitation.*

Je m'appelle David... Grey.

LUCILE

C'est un joli nom, mais il ne me dit pas qui vous êtes. Du reste, cela n'a pas beaucoup d'importance. Puisque vous êtes là, vous êtes là.

DAVID GREY

Mr. Anderson m'a invité à passer quelques jours à Edgware Place.

LUCILE

Mr. Philip Anderson? C'est mon père. Il est gentil, vous ne trouvez pas?

DAVID GREY

A vrai dire, ce n'est pas lui que j'ai vu tout d'abord. J'ai été reçu par un autre Mr. Anderson.

LUCILE

Oh, mon oncle John... Ce n'est pas du tout la même chose. Mon père est bien plus bel homme, d'abord. Et puis, mon oncle est terriblement raisonnable. On ne peut pas lui parler.

(Voyant le livre que tient David Grey.)

Oh, voulez-vous remettre ce livre en place, s'il vous plaît? Si mon père savait qu'on y a touché, il serait très mécontent.

(David Grey remet le livre en place.)

Tous les livres sur cette étagère doivent rester là où ils sont et personne n'a le droit d'y toucher. Ils appartenaient à maman. C'étaient ses livres préférés.

DAVID GREY

Ce sont des livres d'enfant.

LUCILE

Oui. J'ai exactement les mêmes dans ma chambre et mon père m'a fait faire une étagère exactement pareille à celle-ci pour les contenir. Le livre que vous regardiez tout à l'heure est celui dans lequel maman m'a appris à lire.

DAVID GREY

Alice au Pays des Merveilles?

LUCILE

Oui. Elle n'aimait pas beaucoup les livres écrits pour les grandes personnes. Cela vous paraît drôle?

DAVID GREY

Non. Sans doute n'est-elle jamais sortie du pays des merveilles. Les enfants y vivent, et il y a des hommes et des femmes qui y vivent aussi, parce qu'ils en ont gardé le secret, mais ils ne sont pas très nombreux.

LUCILE

Vous croyez?

DAVID GREY

Si l'on ne peut passer à travers le miroir, comme Alice, si l'on ne peut pas voir un visage dans le cadran de la pendule et une grosse brebis qui tricote dans une barque et navigue entre les meubles, ici même, c'est qu'on est devenu une grande personne, comme votre oncle, par exemple.

LUCILE

Alors on ne voit plus rien et on vit dans un monde très ennuyeux.

DAVID GREY

Il faut tout voir pour la première fois. Jamais il n'y a de seconde fois, parce que tout reste nouveau. C'est là le secret. Les enfants le connaissent tous. Et si l'on s'en souvient toujours, si on le défend je ne sais où, dans son cœur ou dans sa tête, on fait un jour de grands poèmes ou de la grande musique.

LUCILE

Oh, je le crois aussi. Je crois ce que vous dites.

DAVID GREY

Et c'est alors, quelquefois, que les grandes personnes lisent ces poèmes ou écoutent cette musique et se demandent d'où tout cela peut bien venir. Or, c'est l'enfance qui parle son grand langage et qui raconte ses histoires.

LUCILE

J'ai peur de devenir une grande personne ennuyeuse. Une grande personne comme oncle John. Mon oncle est un personnage en fonte. Et c'est si facile de devenir une grande personne, vous savez! Les grandes personnes écrivent des lettres interminables. Elles ont des billets de banque dans leurs portefeuilles, elles déplient le journal pour lire les nouvelles politiques — et elles comprennent!

DAVID GREY, *riant*.

Lorsqu'elles comprennent, il n'y a plus d'espoir. Celui qui perd le sens du mystère perd aussi son âme.

(Silence.)

Cette dame qui est si belle, c'était votre mère?

(Il désigne le portrait.)

LUCILE

Oui. Elle était très belle.

DAVID GREY

Vous lui ressemblez énormément. Je crois que si vous portiez une robe bleue on pourrait vous prendre pour elle.

LUCILE

Une robe bleue? C'est curieux, ce que vous dites là.

DAVID GREY

Pourquoi?

LUCILE

Ce serait trop long à vous expliquer.

DAVID GREY

Ne pourriez-vous essayer?
(Il lui baise la joue.)

LUCILE, *reculant*.

Oh, pourquoi avez-vous fait cela?

DAVID GREY

Je n'ai rien fait que vous ne puissiez me pardonner.

LUCILE

Mais vous n'êtes plus la même personne à

mes yeux et je ne pourrai plus vous parler comme tout à l'heure.

DAVID GREY

Comment nous parlions-nous tout à l'heure?

LUCILE

Je ne puis vous le dire exactement, mais... pas comme des grandes personnes.

DAVID GREY

Peut-être, en effet, sommes-nous encore pareils à des enfants, mais quand vous étiez petite, les garçons ne vous embrassaient-ils pas?

LUCILE

Ils m'embrassaient pour rire!

DAVID GREY

Et qui vous dit que je ne vous ai pas embrassée pour rire, moi aussi?

LUCILE

Mon père ne doit jamais savoir que vous m'avez embrassée. Il entrerait dans une colère terrible.

DAVID GREY

Je vous promets de ne jamais le lui dire. Allons, donnez-moi votre main et faisons la paix. Je vois bien que vous ne m'en voulez plus.

LUCILE

Pas beaucoup, mais je devrais.

DAVID GREY, *la prend par la main et la mène devant le portrait.*

Dites-moi pourquoi on a enlevé de dessus cette cheminée la grande glace qui s'y trouvait jadis. Vous savez, le cadre en était formé de deux palmiers d'or dont les feuilles se rejoignaient par le haut.

LUCILE

Elle s'est fendue en deux, du haut en bas, avec un bruit de pistolet, le soir que maman a disparu. Alors mon père a fait mettre ce portrait à la place, longtemps après. Mais comment savez-vous cela? Vous êtes déjà venu ici?

DAVID GREY

Moi non. Pas exactement. Mon père y est venu jadis, et la dernière fois en cachette, mais c'est là un secret. Me promettez-vous de n'en rien dire à personne?

LUCILE

Bien sûr! Il est venu en cachette? C'est comme dans une histoire! Mais quand est-il venu?

DAVID GREY

La dernière fois ? Il y a un peu plus de dix ans. On ne voulait pas qu'il vienne, mais il est venu tout de même, en cachette. Il m'a bien des fois décrit la maison, avant de mourir.

LUCILE

Ah, il est mort ?

DAVID GREY

Oui. Et il me l'a décrite si souvent, la maison, que je la connaissais bien avant d'y mettre les pieds. Je la croyais plus grande.

(Il regarde autour de lui.)

Et il m'a dit que lorsque je verrais cette pièce où nous sommes, ce serait comme s'il la voyait par mes yeux, comme s'il était moi-même, ou comme si j'étais lui, lui à vingt ans.

LUCILE

Était-il comme vous, à vingt ans ?

DAVID GREY

Oui. Les gens m'ont toujours dit qu'à vingt ans il était comme moi.

LUCILE

Alors je me demande pourquoi on ne voulait pas qu'il entre ici, puisqu'il était comme vous.

DAVID GREY

Mais c'est plus tard qu'on n'a pas voulu. Peut-être avait-il changé.

LUCILE

Il n'était peut-être plus aussi beau.

DAVID GREY, *regardant autour de lui*.

Je ne sais pas. Je regarde autour de moi, voyez-vous, je regarde pour lui. Autrefois, lui et moi nous rêvions que nous étions ici, et maintenant je me promène dans notre rêve.

(Il tend l'oreille.)

Qu'est-ce que c'est que ce bruit qu'on entend?

LUCILE

C'est la mer. On l'entend quelquefois. On dirait qu'elle veut qu'on se taise parce qu'elle a quelque chose à dire, mais elle ne le dit jamais, elle dit toujours : « Chut ! »

DAVID GREY

Elle dit simplement qu'elle est là. Elle se retourne dans son lit et elle ramène son drap par-dessus son oreille pour dormir.

(Silence.)

Comment vous appelez-vous ?

LUCILE

Lucile. Ce n'est pas un nom que j'aime beaucoup. Ma grand-mère s'appelait ainsi, mais je ne crois pas que mon père aime beaucoup ce nom, lui non plus, car il m'appelle parfois Évangéline — pour rire, vous comprenez.

DAVID GREY

Évangéline ? C'est très joli.

LUCILE

Oui. C'était le nom de maman et j'aurais préféré m'appeler comme elle. Je ne sais pas pourquoi je vous dis ces choses, peut-être parce que nous sommes devant ce portrait de ma mère. On dirait qu'elle nous regarde.

DAVID GREY

Elle a l'air de sourire un peu.

LUCILE

Je ne sais pas. Quelquefois elle paraît si triste... Elle n'a pas toujours la même expression... Vous ne trouvez pas étrange que nous nous parlions comme cela, alors qu'il y a un quart d'heure, je ne vous avais jamais vu ?

Mais quand je vous regarde, il me semble que je vous connais depuis longtemps.

DAVID GREY

Moi aussi, j'ai l'impression de vous connaître depuis des années, Évangéline!

LUCILE, *riant*.

Oh, il ne faudrait pas m'appeler ainsi devant mon père, ni devant le capitaine Killigrew, si jamais vous le voyez à Edgware Place.

DAVID GREY

Qui est le capitaine Killigrew?

LUCILE

Cela m'ennuie un peu de vous le dire. Et puis, pourquoi pas? Nous sommes fiancés.

DAVID GREY

Vous êtes éprise du capitaine Killigrew?

LUCILE

Moi? Oh, non, par exemple! Mais tenez, ce sont là des idées de grandes personnes : on veut absolument que je me marie.

DAVID GREY

Et vous consentiriez à épouser cet homme que vous n'aimez pas?

LUCILE

Sûrement pas. Mais je pense secrètement que beaucoup de choses peuvent arriver qui empêcheront ce mariage de se faire. Alors je ne dis rien, pour avoir la paix. Il ne faut jamais contredire les grandes personnes. On les laisse parler, parler, et au dernier moment on n'en fait qu'à sa tête.

DAVID GREY

Peut-être votre père vous comprendrait-il mieux que vous ne croyez, si vous lui disiez que vous n'aimez pas ce capitaine.

LUCILE

Il me comprendrait très bien. Il le déteste. Il se moque de lui d'une façon très amusante. Nous nous entendons toujours, père et moi. C'est sa femme et surtout mon oncle qui veulent que je me marie. Mais jamais je ne pourrais vivre avec le capitaine Killigrew. D'abord, je mourrais d'ennui.

DAVID GREY

Et avec quel genre d'homme pourriez-vous vivre...

(Bas.)

... Évangéline?

LUCILE, *riant et lâchant sa main*.

Il me faudrait quelqu'un dans le genre de mon père!

> (*La porte s'ouvre doucement derrière eux. On voit entrer Philip Anderson qui se tient immobile.*)

DAVID GREY

Et s'il ne lui ressemblait pas et que malgré tout vous soyez amoureuse?

LUCILE

Amoureuse? Quelle drôle d'idée! Amoureuse de qui?

DAVID GREY

Amoureuse sans le savoir de quelqu'un qui vous aime sans vous le dire.

LUCILE, *riant*.

Oh, c'est compliqué ce que vous dites! Cela fait penser à un rébus.

DAVID GREY

C'est très simple, au contraire. Voulez-vous me donner votre main?

LUCILE

Non. J'ai peur.

PHILIP ANDERSON, *voix sourde*.

Que faites-vous là, tous les deux?

LUCILE, *elle tressaille et se retourne*.

Nous parlons, père.

PHILIP ANDERSON, *il les regarde un instant*.

Et de quoi parliez-vous quand je suis entré?

LUCILE, *à David Grey*.

Au fait, de quoi parlions-nous?

DAVID GREY

De choses très différentes. Je crois que nous avons parlé d'abord d'*Alice au Pays des Merveilles*.

LUCILE

Oui.

(*A son père.*)

David Grey aime ce livre presque autant que moi, parce que personne n'a jamais aimé ce livre autant que moi, si ce n'est maman.

(*Philip Anderson réprime un geste.*)

Qu'est-ce qu'il y a, père?

PHILIP ANDERSON

Pourquoi parles-tu de ta mère?

LUCILE

Je ne sais pas. Je pensais à elle à cause de ce livre. Et puis, nous regardions son portrait.

PHILIP ANDERSON

Que disiez-vous donc en regardant le portrait de ma femme?

DAVID GREY

J'ai été frappé de la ressemblance entre elle et votre fille.

LUCILE

Oncle John a dit l'autre jour que cette ressemblance était de plus en plus grande. Alors, peut-être finirai-je par être tout à fait comme elle.

(Silence.)

J'en serais très heureuse. Pourquoi ne dites vous rien, père?

PHILIP ANDERSON

Voulez-vous vous tenir tous les deux, devant moi, l'un à côté de l'autre, comme vous étiez tout à l'heure?

(Lucile et David Grey se regardent et après une hésitation obéissent.)

LUCILE

Père, pourquoi nous regardez-vous ainsi?

PHILIP ANDERSON, *à David Grey.*

Dites-lui quelque chose.

DAVID GREY, *rire forcé.*

Mais... je ne sais...

PHILIP ANDERSON

Tout à l'heure, vous saviez.

DAVID GREY

Tout à l'heure, nous parlions de n'importe quoi.

PHILIP ANDERSON

Eh bien, dites-lui n'importe quoi. Dites-lui que vous l'aimez.

(*Lucile pousse un cri et s'écarte brusquement de David Grey.*)

LUCILE

Je ne veux pas qu'il me dise cela.

(*Elle court vers la porte et disparaît.*)

DAVID GREY

Monsieur...

PHILIP ANDERSON

Eh bien, qu'avez-vous? Est-ce que je vous fais peur?

DAVID GREY

Mais non. Je suis étonné de...

PHILIP ANDERSON

Étonné de quoi? Ne suis-je pas calme? C'est vous qui êtes troublé. Quand je suis arrivé ici, vous et ma fille aviez cet air qu'ont deux personnes qui ont bavardé ensemble depuis assez longtemps et qui se sont dit beaucoup de choses. Eh bien, parlez!

DAVID GREY

Monsieur, je n'ai rien à dire.

PHILIP ANDERSON

C'est donc moi qui parlerai. Désormais vous ne verrez ma fille qu'en ma présence.

DAVID GREY

Je puis quitter Edgware Place.

PHILIP ANDERSON, *vivement*.

Non. Je ne le veux pas. Pas maintenant. Pas encore. Mais vos entretiens avec ma fille auront lieu devant moi. Je serai là. Je vous verrai tous les deux ensemble, ici même, dans cette pièce. Vous m'entendez? Je ne dirai rien, vous finirez par oublier que je suis là, mais si vous entrez ici alors que ma fille s'y trouve seule, vous sortirez aussitôt, vous la laisserez.

> *(A partir de ce moment il parle tourné vers le portrait.)*

Si je suis là, vous pourrez lui parler, vous pourrez vous asseoir à côté d'elle, mais je veux voir...

DAVID GREY

Monsieur...

PHILP ANDERSON

Si vous lui prenez la main, je veux voir... Ne dites pas que vous ne lui avez pas pris la main! Je la connais et je vous connais. Tout recommence. Mais elle ne voudra pas. Vous entendez? Elle ne voudra pas.

DAVID GREY, *se dirigeant vers la porte*.

Monsieur, je crois que vous vous méprenez. Avec votre permission...

> *(Il a la main sur le bouton de la porte quand celle-ci s'ouvre pour livrer passage à Mrs. Anderson.)*

MRS. ANDERSON, *à David Grey.*

Vous êtes Mr. David Grey dont m'a parlé mon beau-frère.
(Elle lui tend la main.)
Je suis heureuse de vous voir à Edgware Place.

DAVID GREY, *prenant la main qu'elle lui tend.*

Je vous remercie, Madame.
(Un temps.)
Si vous le permettez, je vais me retirer.

MRS. ANDERSON, *riant.*

Mais non, je ne vous le permets pas — pas encore. Je suis curieuse. Je veux savoir dans quelle chambre on vous a mis.

DAVID GREY

Ma chambre est au second et donne sur les douves.

MRS. ANDERSON

C'est la bonne chambre, mais j'ai peur que les poules ne vous réveillent, le matin. Nous sommes assez fières de nos poules blanches, mais elles se promènent dans le petit pré qui est devant vos fenêtres et elles ont parfois beaucoup à se dire.

DAVID GREY

Je les ai aperçues de loin. Elles font penser à des fragments de lettres qu'on aurait déchirées et jetées au vent.

MRS. ANDERSON

Voilà une idée qui ne viendrait pas à l'esprit de tout le monde! Je vous soupçonne fortement d'être poète et de faire des vers quand vous êtes seul. J'espère que vous allez rester au moins trois jours...

(Elle jette un regard vers Philip Anderson qui s'est assis et ne bouge pas.)

... ou je croirais qu'Edgware Place vous déplaît.

(Bref silence. Elle regarde furtivement les deux hommes.)

Nous déjeunons dans une heure. Le valet de chambre ira frapper à votre porte, puisque vous nous privez pour un moment du plaisir de vous voir.

(David Grey s'incline légèrement et sort. A Philip Anderson.)

Enfin, que s'est-il passé, Philip? J'ai eu l'impression d'un si grand malaise quand je suis entrée ici...

PHILIP ANDERSON

Mais non. Simplement, ce jeune homme m'indispose, sans doute parce qu'il me rappelle trop vivement son père que je ne pouvais souffrir.

MRS. ANDERSON

Il ne fallait pas l'inviter.

PHILIP ANDERSON

Oh, je ne l'ai pas invité! C'est son père qui me l'envoie.

MRS. ANDERSON, *passant derrière lui,
elle l'observe dans une glace.*

Il faut dire que les amis de jeunesse peuvent être des fléaux, surtout quand ils nous infligent leurs enfants. C'est comme si on lisait deux fois la même histoire.

PHILIP ANDERSON

Oui. Deux fois la même histoire.

(*Silence.*)

MRS. ANDERSON, *venant s'asseoir
près de lui.*

Mon chéri, qu'y a-t-il?

PHILIP ANDERSON

Mais je t'ai dit qu'il n'y avait rien. Rien du tout.

MRS. ANDERSON

Veux-tu que nous parlions un peu, comme autrefois? Cela nous fera du bien à tous les deux. Tes mains tremblent, mon pauvre Philip. Laisse-moi les prendre dans les miennes.

(*Elle lui prend les mains.*)

PHILIP ANDERSON

J'ai froid. C'est tout.

MRS. ANDERSON

Te souviens-tu, dans les premiers temps, quand tu étais soucieux comme aujourd'hui, j'arrivais presque toujours à te faire sourire.

PHILIP ANDERSON, *retirant doucement ses mains.*

Oui, mais aujourd'hui, il faut m'excuser, Edith. Je ne suis pas d'humeur à parler beaucoup.

MRS. ANDERSON

Tu ne parleras pas, si tu n'en as pas envie. Je voudrais seulement que tu m'écoutes un instant. La vérité m'oblige à t'avouer que je suis inquiète.

PHILIP ANDERSON

Inquiète?

MRS. ANDERSON

Oui. Je m'étais promis de ne rien te dire, mais il y a longtemps que je me tais, Philip. Peut-être, si je ne t'avais vu comme je te vois maintenant, aurais-je gardé le silence jusqu'à la fin.

PHILIP ANDERSON

Pourquoi ne pas garder le silence? Ce n'est jamais une faute. La parole attire le malheur de notre côté.

MRS. ANDERSON

Mais non. Il faut dire certaines choses. Il faut dire toutes les choses qu'on ne doit pas dire, quand elles vous étouffent, mais tu crains pour la tranquillité de ta vie, Philip. Tu as un peu peur de moi.

PHILIP ANDERSON, *se levant*.

Edith, j'ai toujours pensé à toi comme à un ange. Les anges sont là pour nous rendre la paix si nous l'avons perdue et pour veiller sur nous.

MRS. ANDERSON, *elle se lève aussi.*

Je ne suis pas un ange, je suis ta femme. Je suis devant toi, Philip. La femme qui t'aime et qui a besoin de ton amour se tient devant toi et cherche ton regard. Pourquoi ne me regardes-tu pas? Qu'est-ce que cela veut dire que je vive et que je respire à Edgware Place si pour toi j'en suis absente?

PHILIP ANDERSON

Je ne comprend pas. Qu'as-tu, Edith? Est-ce que je ne te regarde pas?

MRS. ANDERSON

Oh, Philip, ne te moque pas! Je suis troublée, je sais que je te parle d'une façon qui te scandalise, parce que le silence est ton refuge et que mes paroles viennent battre contre ce refuge. Je me plains, je suis maladroite, mais c'est parce que je tremble et que je t'aime. Je ne veux pas être celle dont on accepte la présence, parce qu'elle rassure et qu'elle fait régner l'ordre dans la maison, celle qu'on appelle une belle âme parce qu'elle se sacrifie. Moi, je ne veux pas me sacrifier! Je ne suis pas seulement une âme. J'ai un corps et ce corps souffre, Philip. Je souffre dans ma chair et dans mon cœur, dans ce cœur dont tu ne veux pas...

PHILIP ANDERSON

Edith !

MRS. ANDERSON

Je sais. Il te paraît horrible d'entendre ces choses, mais je parle comme quelqu'un qui ne sait plus ce qu'il dit, et c'est lorsqu'on ne sait plus ce qu'on dit que la vérité se libère. Dussé-je te perdre, tu m'entendras, mais je ne te perdrai pas, Philip, tu te souviendras du jour où tu m'as prise par la main et où tu m'as demandé de te rendre le bonheur, après la mort d'Évangéline.

(Philip Anderson fait un geste.)

Oh, je n'aurais pas dû prononcer ce nom... Malgré moi, il est sorti de ma bouche, parce que je vois trop bien où se tournent tes yeux. Tu ne peux me parler ici que ton regard ne s'attache à ce portrait, et si nous sommes ailleurs, si nous sommes dans une autre pièce ou dans les allées du parc, c'est en toi-même que tu la cherches, Philip, mais c'est moi que tu avais choisie pour prendre sa place auprès de toi, et tu m'aimais, Philip, tu m'aimais parce que je te rendais la joie de vivre et que de nouveau tu pouvais sourire.

*(Elle se place devant lui,
de manière à lui cacher le portrait.*

Alors, je n'avais pas peur de ce portrait, ce n'était qu'une peinture, ce n'était qu'un reflet sur un mur, mais depuis trois mois, il s'est passé quelque chose, depuis le soir où tu as revu Ferris...

PHILIP ANDERSON

Je ne veux pas que tu parles de cela, Edith.

MRS. ANDERSON

Depuis le soir où tu as revu Ferris, ce portrait s'est mis à vivre. Je ne sais ce que cet homme t'a dit sur elle, mais tout à coup, dans son cadre, cette femme qui était morte s'est remise à vivre. Elle respire, elle nous regarde, et elle écoute. Dans ton esprit, il y a tout cela, je le sais, et c'est vers elle que tu vas, tu passes à travers moi comme on passe à travers un brouillard, pour rejoindre Evangéline, mais c'est une illusion, Philip; elle est morte et je suis vivante. On ne peut aimer un fantôme. Ta femme, c'est moi, c'est Edtih. L'autre n'est plus. Écoute-moi!

(Elle lui saisit les bras.)

Depuis trois mois tu n'es plus le même, mais je suis là, je te sauverai, une femme vivante te sauvera, elle te protégera, Philip. Entre toi et la peur, il y aura cette femme avec son cœur

qui bat vraiment, avec son corps où courent
le sang et la vie et l'amour. Nous sommes jeunes
encore et le bonheur est possible, tout est possible. Il suffit d'écarter un mauvais rêve...

PHILIP ANDERSON

Un mauvais rêve, dis-tu?

MRS. ANDERSON

Oui, je ne sais quelle vision qui s'est installée
dans cette tête que j'aime. Aujourd'hui encore,
pour des raisons que je ne puis même deviner,
je vois dans ton regard l'inquiétude que je
redoute. Je ne veux pas savoir ce qu'il y a,
je ne te pose aucune question, je te demande
seulement de rester avec moi pour que je puisse
te ramener à la paix, la paix avec toi-même. Tu
vois, pour la première fois depuis des jours
et des jours, tes yeux rencontrent les miens et
ne s'en détournent pas. Oh, laisse-les ainsi
plonger dans mes yeux! Je te retrouve, je te
reprends, Philip. Nous sommes sur terre, dans
cette vieille maison où des générations d'hommes
et de femmes se sont aimés. Garde tes yeux fixés
sur les miens : ils ont tant de choses à se dire
encore, tous les quatre!

(Philip rit.)

Tu ris! Je suis heureuse. Je dis n'importe
quoi parce que je t'aime et que je suis heureuse.

Écoute-moi : cet après-midi, nous irons nous promener ensemble.

PHILIP ANDERSON

Cet après-midi...

MRS. ANDERSON

Tu ne me quitteras pas? Je serai près de toi. Si tu ne veux pas parler, tu ne me parleras pas, et si tu ne veux pas me donner le bras, eh bien, tu ne me donneras pas le bras! Mais je serai là, près de mon ours sauvage. Écoute-moi bien, Philip : la solitude, c'est le malheur. Il faut qu'il y ait près de toi quelqu'un qui t'aime...

PHILIP ANDERSON

Oui, quelqu'un qui m'aime.

MRS. ANDERSON

Est-ce que je ne t'aime pas? Grand nigaud, qu'est-ce tu attends pour m'embrasser? Tu ne vois pas que je pleure?

(Elle le prend dans ses bras et pose son visage contre celui de Philip qui se laisse faire.)

Nous allons être heureux, je le sens, je le veux.

(Elle s'essuie les yeux.)

Personne ne pleurera plus jamais à Edgware Place. Ces larmes sont les dernières et ce sont des larmes de joie. Est-ce que tu n'es pas mon Philip? Ose me le dire que tu ne l'es pas!

(Elle pose sa tête sur la poitrine de Philip.)

PHILIP ANDERSON, *lui caressant la tête.*

Edith, je dois te dire...

MRS. ANDERSON

Ne me dis rien. Laisse-moi écouter ton cœur qui apprend à redire mon nom.

(Au moment où elle dit cette phrase, Philip Anderson tourne les yeux vers le portrait.)

RIDEAU

ACTE III

Même décor qu'à l'acte précédent. Il pleut.

MRS. ANDERSON

Je ne sais si vous avez raison. Pour ma part, je regrette que cet entretien ait lieu.

JOHN ANDERSON

Que craignez-vous ? La lettre de Douglas à Philip est très raisonnable. Il a les meilleures intentions du monde et cet homme n'est pas du tout le croquemitaine que mon frère imagine. S'il est un peu fanatique, un peu étroit dans ses vues religieuses, c'est bien là tout ce qu'on peut lui reprocher. Non, non. Le ton de sa lettre est plutôt cordial. Je suis sûr que nous n'aurons pas de mauvaise surprise.

MRS. ANDERSON

Je le souhaite de tout mon cœur. Malgré tout, je redoute l'effet qu'auront certaines paroles sur l'esprit de mon pauvre Philip, car enfin, il ne se peut pas qu'ils ne parlent d'Évangéline.

JOHN ANDERSON

Qui sait? Peut-être est-ce là, précisément, le sujet qu'ils éviteront l'un et l'autre.

MRS. ANDERSON

Je voudrais bien qu'on m'explique pourquoi Douglas veut voir mon mari seul. Je ne puis m'empêcher de trouver singulier qu'il en fasse une sorte de condition.

JOHN ANDERSON

Sans doute craint-il de se laisser aller à ses sentiments devant plusieurs personnes. Soyez certaine qu'il sera le plus troublé des deux dans cette pièce où il n'est pas venu depuis dix ans et où il va retrouver le souvenir d'une sœur qu'il adorait. Peu lui importe que Philip soit témoin de son émotion. Philip ne le comprendra que trop bien. Mais quelle gêne devant vous, devant moi, si des larmes devaient lui monter aux yeux!

MRS. ANDERSON

Je sais. Les hommes très durs sont les plus sentimentaux quelquefois. En tout cas, il vient au plus mauvais moment possible. Comment ne le sentez-vous pas? J'avoue que je suis affreusement inquiète pour Philip. Depuis dix jours, il n'est plus du tout le même.

JOHN ANDERSON

Je n'ai rien remarqué d'extraordinaire dans son comportement. Peut-être est-il un peu plus pensif.

MRS. ANDERSON

Oh, ce n'est pas cela que je veux dire. Autrefois, il avait ses mauvais jours de temps en temps. A présent, chaque jour qui commence me fait peur. Vous savez comme moi que Philip s'absente de la maison des heures entières vers la fin de l'après-midi.

JOHN ANDERSON

Bah, il a besoin d'exercice. Philip est un homme de plein air.

MRS. ANDERSON

John, je ne veux pas qu'il sorte seul.

JOHN ANDERSON, *riant*.

Chère Edith, ne serait-il pas un peu absurde de le faire accompagner dans ses promenades comme un enfant?

MRS. ANDERSON

Cela vous semblerait peut-être moins absurde si je vous le demandais. Ne m'avez-vous pas dit un jour que vous feriez n'importe quoi pour moi? Eh bien, c'est cela que je vous demande, de sortir avec lui.

JOHN ANDERSON

Dans quel embarras vous me mettez! Mon frère ne veut pas qu'on l'accompagne. Ce qu'il désire, ce qu'il exige dans ses promenades, c'est la solitude. Je ne vois rien là de très anormal.

MRS. ANDERSON

Vous me parliez d'une autre façon, le mois dernier, quand vous protestiez de votre dévouement. A vous en croire, je pouvais compter sur vous en toute circonstance, mais aujourd'hui vous me faites défaut.

JOHN ANDERSON

Edith, vous savez très bien quel pouvoir vous avez sur moi, mais ce que vous me demandez est impossible. Nous ne pouvons pas traiter Philip comme s'il était fou.

MRS. ANDERSON

Oh, il ne fallait pas prononcer ce mot! S'il se tuait, John...

JOHN ANDERSON

Quoi, c'est de cela que vous avez peur? Laissez-moi vous rassurer. J'ai été élevé avec

Philip. Depuis l'enfance, il a ces crises de mélancolie, mais elles passent.

MRS. ANDERSON

Ses longues promenades, hélas ! j'en connais le but.

JOHN ANDERSON

Allez-vous encore me parler de Bleak Wood et de la falaise ? Mais nous n'avions pas dix ans que cette petite excursion était celle qu'il préférait à toute autre.

MRS. ANDERSON

Oh, John, cessez de me traiter comme une petite fille ! Est-il nécessaire de vous dire que c'est l'ombre de cette femme qu'il va chercher là-haut ?

JOHN ANDERSON

Excusez-moi. Je ne puis partager des vues aussi romantiques.

MRS. ANDERSON

Eh bien, j'irai un peu plus loin dans la confidence, parce que je crois que ceci vous éclairera : Philip ne me parle plus.

JOHN ANDERSON

Que dites-vous ? Mais tout à l'heure encore, à table...

MRS. ANDERSON

Oh, devant les autres, oui, à cause des apparences qu'il faut sauver à tout prix. Mais seul avec moi, il ne dit pas un mot. Ai-je besoin d'être plus précise? J'espère que vous m'en dispenserez.

(Silence.)

Je lui fais horreur.

JOHN ANDERSON

Edith!

(Il fait un geste vers elle.)

MRS. ANDERSON

Non, laissez. Ne faites rien. Ne dites rien.

JOHN ANDERSON

Voulez-vous me permettre une question, Edith? Si vous ne désirez pas y répondre, vous garderez le silence. Depuis quand avez-vous constaté ce changement à votre égard?

MRS. ANDERSON

Depuis que James Ferris lui a parlé dans le petit salon des Brimstone. Je ne sais ce que cet homme a pu lui dire sur moi...

JOHN ANDERSON

Que pouvait-il dire sur vous qu'il connaissait à peine?

MRS. ANDERSON

Alors, sur Evangéline. Mais qu'a-t-il dit sur Evangéline qui me prive de mon mari? Oh, John, je voudrais être morte! Le jour que David Grey est arrivé ici, j'ai parlé à Philip. Je lui ai parlé comme jamais ne le lui avais parlé depuis notre mariage. J'ai lutté, lutté avec cette ombre dont je le voyais de nouveau épris, et il y a eu une sorte de miracle. Oui, pendant une minute, une merveilleuse minute, j'ai eu la certitude que je l'emportais sur cette femme qui ressuscite après dix ans. Je retrouvais Philip et il me regardait, il me regardait dans les yeux comme autrefois, il me voyait... Un moment plus tard, il était repris par je ne sais quel sortilège et, les yeux fixés sur ce portrait qui est derrière moi... et que je déteste...

JOHN ANDERSON

Ne pensez plus à cela, Edith. Un jour viendra où ce portrait disparaîtra de ce mur comme Evangéline de la mémoire de Philip. Il se peut, en effet, que James Ferris ait fait revivre dans l'esprit de mon frère un moment de son passé, mais il l'oubliera.

MRS. ANDERSON

Il est envoûté, John. Je dois veiller sur lui, le reconquérir.

(Entre Millin.)

MILLIN

Mr. Douglas est en bas, Madame. Dois-je le faire monter?

MRS. ANDERSON

A qui a-t-il demandé à parler?

MILLIN

Il a demandé si Mr. Philip était chez lui.

MRS. ANDERSON

Faites-le monter et prévenez Mr. Philip.

(Millin s'incline et sort.)

Voici une heure difficile. J'avoue que je serais moins inquiète si je pouvais me tenir aux côtés de mon pauvre Philip.

JOHN ANDERSON

Qu'avez-vous à craindre pour lui?

MRS. ANDERSON

Je redoute la façon dont il va subir cette épreuve.

(Elle sort suivie de John. Presque au même instant entre par la droite Millin suivi de Bruce Douglas.)

MILLIN

Monsieur, voulez-vous attendre ici un instant ? Je vais prévenir Mr. Philip Anderson.

BRUCE DOUGLAS

Une seconde. Depuis combien de temps êtes-vous au service de Mr. Anderson ?

MILLIN

Depuis sept ans, Monsieur. Il y a eu sept ans le 21 mars. Le printemps et moi, nous sommes arrivés ici le même jour, sous des rafales de pluie. On dit que lorsque mars fait son entrée comme un agneau, il sort comme un lion. Je n'aurais su à quel animal le comparer ce jour-là. Plutôt à une baleine, ou peut-être...

BRUCE DOUGLAS

C'est bien, mon ami, Je ne vous retiens pas.
(Millin s'incline et sort. Douglas regarde autour de lui et va droit à la petite étagère mentionnée à l'acte II. Il regarde les livres, mais n'en touche aucun. Entre Philip Anderson.)

PHILIP ANDERSON,
aucune hésitation, mais un effort.

Bonjour, Bruce.

BRUCE DOUGLAS

Bonjour, Philip.
> *(Ils se serrent la main et s'assoient.)*

PHILIP ANDERSON, *voix rapide,
comme s'il récitait.*

J'attendais votre visite sans y croire tout à fait, je dois le dire. Sans vous le reprocher, vous m'aviez habitué à votre absence et à votre silence.
> *(Douglas le regarde et ne dit rien.)*

Aussi, de vous voir à Edgware Place me paraît... dirai-je, étrange?
> *(Silence. Philip Anderson
> croise les jambes dans son fauteuil.)*

Ce n'est pas sans impatience que j'attends...
> *(Il s'arrête.)*

BRUCE DOUGLAS

Vous êtes ému, Philip.

PHILIP ANDERSON

Moi?

BRUCE DOUGLAS

Mais je le suis également. Je le suis parce que ma sœur Evangéline a vécu ici, et vous êtes ému parce que l'homme que vous avez devant vous a peut-être un peu le regard de cette femme. Il n'y a pas de honte à en convenir.

PHILIP ANDERSON

J'en conviens très volontiers.

BRUCE DOUGLAS

Tout à l'heure, nous nous sommes serré la main. Ce pouvait n'être qu'un geste banal en toute autre circonstance, n'est-ce pas? Aujourd'hui, cependant, il efface bien des choses. Est-ce que je me trompe? Il me semble que vous souriez.

PHILIP ANDERSON

Vous m'ôtez un grand poids. Je renais, Bruce.

BRUCE DOUGLAS

Voilà la première parole humaine que vous avez dite depuis que je suis entré, et bien que nous ayons changé l'un et l'autre, depuis dix ans, je vous retrouve tout à coup. Ne vous sentez-vous pas plus heureux?

PHILIP ANDERSON

Heureux, non. Je ne serai jamais plus heureux puisque Evangéline n'est plus là.

BRUCE DOUGLAS

Philip, je ne pensais pas que son souvenir vous fût aussi présent. Vous m'étonnez un peu.

PHILIP ANDERSON

Oh, Bruce, je ne peux plus vivre sans elle et je n'ai pas le courage d'aller la rejoindre dans la mort. Excusez-moi de vous parler ainsi, mais j'ai l'impression qu'elle est entrée avec vous et qu'elle est là.

BRUCE DOUGLAS

Qui sait si cela n'est pas vrai, Philip? Nos morts ne sont peut-être jamais loin de nous.

PHILIP ANDERSON

Il ne me suffit pas de penser qu'elle est là, près de nous. Je veux la voir, j'ai besoin d'entendre sa voix, je suis malheureux parce qu'elle se tait.

BRUCE DOUGLAS

En vérité, ce que vous me dites me trouble beaucoup. Vous êtes remarié. Votre femme...

PHILIP ANDERSON

Ma femme, je le sais, est une âme admirable. Sans elle, peut-être aurais-je sombré. Elle m'a retenu, elle me retient encore dans cette vie, dans ce monde où je ne sais plus ce que je fais. Et pourtant... Mais pourquoi parlons-nous de cela?

BRUCE DOUGLAS

Excusez-moi. La conversation a pris un tour que je n'attendais pas. J'étais venu faire ma paix avec vous, simplement. Nous sommes croyants tous les deux et notre foi est la même. J'avoue que l'année dernière encore, je n'aurais pu vous faire cette visite, mais depuis, tout a changé en moi : il y a eu la mort de ce malheureux Ferris.

PHILIP ANDERSON

Je vous en prie...

BRUCE DOUGLAS

Pardonnez-moi d'insister, mais il faut que je vous en parle. J'étais près de lui quand il est passé de ce monde dans l'autre. C'est une heure que je n'oublierai pas. Si la mort des élus est belle, parfois, la mort de ceux dont nous ne sommes pas sûrs est un spectacle qui fait peur. Il a avoué son crime et m'en a demandé pardon. Dans quelles tortures il a rendu son âme, je ne veux pas vous le dire, mais il n'a pas prononcé votre nom.

PHILIP ANDERSON

Ah?

BRUCE DOUGLAS

Cependant, s'il y avait quelqu'un dont il eût dû implorer le pardon après celui de Dieu, c'était bien vous.

PHILIP ANDERSON

Moi? Je...

BRUCE DOUGLAS

Je vois que tout cela vous remue, mais mon devoir est de vous dire la vérité. Voyez-vous, Philip, je n'ai jamais cru qu'Evangéline était morte accidentellement. Quelque chose en moi me criait que cela n'était pas vrai, et j'ai honte de vous l'avouer, mais je vous ai injustement soupçonné d'un crime commis par un autre. Je vous demande de l'oublier.

(Philip Anderson se tait.)

Croyez bien qu'il me faut un effort pour dire ces mots.

PHILIP ANDERSON

Oui.

(Il se lève et porte les mains à son cou.)

J'étouffe.

BRUCE DOUGLAS

Vous souffrez, Philip. Mes paroles rouvrent des plaies et pourtant je ne puis me taire. Mais voyez comme le bien peut sortir du mal : si ce misérable ne se fût confessé à moi avant de mourir, je ne serais jamais revenu ici. Je vous aurais cru coupable et vous aurais abandonné à une justice beaucoup plus rigoureuse que celle de nos tribunaux.

PHILIP ANDERSON

Je vous en prie, ne parlons plus de cela.

BRUCE DOUGLAS

Croyez-moi, il faut nettoyer la blessure si nous voulons qu'elle guérisse. La charité dans ce cas consiste à faire vite, même si l'on doit faire mal. Ferris m'a raconté ce qui s'était passé là-haut, à Bleak Wood.

PHILIP ANDERSON

Non !
(Il s'assoit et se prend la tête dans les mains.)

BRUCE DOUGLAS

Elle s'est mise à courir entre les arbres qui bordent la falaise. Elle courait, m'a-t-il dit,

comme courent les enfants. C'est alors qu'il l'a
suivie jusqu'en haut d'une petite côte — oh,
je connais chaque mètre du terrain, j'y suis
allé, moi aussi. Vous êtes resté en arrière, probablement. Les arbres vous cachaient Evangéline et Ferris, vous n'avez rien vu, mais vous
avez dû entendre ce cri qu'elle a poussé en tom-
bant dans le vide.

PHILIP ANDERSON

Je l'entends sans cesse. Il est dans ma tête,
il est emprisonné dans ma tête.

BRUCE DOUGLAS

Ferris est revenu vers vous, d'après ce que
j'ai compris. Il a crié qu'il y avait eu un accident. Vous l'avez cru, parce que vous vouliez
le croire. Et d'abord, quelles preuves du contraire?

PHILIP ANDERSON

Bruce, je ne peux plus vous écouter.

BRUCE DOUGLAS

Ce que vous ne saviez pas alors, c'est qu'il
était amoureux d'Evangéline. Vous ne dites
rien? Un jour que vous et votre frère étiez à
Londres, il s'est glissé dans cette pièce où nous
sommes et où elle a eu l'inconcevable innocence

de le voir et de lui parler, comme la petite fille
qu'elle est restée jusqu'à la fin, et il n'a pas eu
honte de lui avouer sa passion.

PHILIP ANDERSON

Elle l'a repoussé.

BRUCE DOUGLAS

Elle l'a repoussé, naturellement, et c'est
par colère qu'il l'a tuée.

(Silence.)

Il a avoué avant de mourir et il s'est repenti.
Je lui ai pardonné. Pardonnez-lui, vous aussi.

PHILIP ANDERSON

Non.

BRUCE DOUGLAS

Philip, il faut faire votre paix avec les morts.
Son fils est ici. Essayer de pardonner au fils
la faute du père.

PHILIP ANDERSON

Je n'ai rien à pardonner au fils, mais je ne
veux pas le voir.

BRUCE DOUGLAS

Alors la haine que vous portiez au mort se
pose sur le vivant. Je reconnais que Joël Ferris
s'est introduit chez vous par une ruse dont je

suis responsable. Je n'obéissais pas seulement au vœu d'un ennemi à qui j'avais pardonné, je voulais qu'il y eût aussi le pardon en vous. Il ne suffit pas d'être juste et d'avoir les mains nettes, comme nous...

PHILIP ANDERSON

Oh, taisez-vous! Je ne suis pas ce qu'on appelle un juste.

BRUCE DOUGLAS

Estimez-vous heureux de n'avoir pas commis de crime. J'ai vu mourir cet homme et déjà son châtiment commençait sous mes yeux. Si vous repoussez Joël Ferris, qui sait si Dieu ne vous repoussera pas un jour?

PHILIP ANDERSON

Oh, vous ne comprenez pas! Vous ne comprenez rien. Je ne peux pas voir devant moi sans avoir envie de le frapper ce garçon qui ressemble à son père comme ma fille ressemble à Evangéline. Ce n'est pas Joël Ferris, c'est son père qui est ici.

BRUCE DOUGLAS

Oui, mais son père innocent, son père avant le crime. C'est James Ferris à vingt ans, avec un regard sans ombre. Aidez-le, Philip. Ne lassez pas la pitié du Ciel.

PHILIP ANDERSON

Vous ne savez pas... Je n'ai jamais su me faire comprendre de personne.

BRUCE DOUGLAS

Même si je ne sais pas, ce que je dis reste vrai. Si vous pardonnez, il vous sera pardonné.

PHILIP ANDERSON, *il crie presque*.

Et si c'est à soi-même qu'on ne pardonne pas?

BRUCE DOUGLAS

« Dieu est plus grand que notre cœur. »

PHILIP ANDERSON, *surexcité*.

Ah, laissez-moi, Bruce. Je ne peux plus vous parler maintenant. Ma bouche malgré moi forme des mots qui m'effraient. Je ne veux pas que vous me parliez de Dieu. Il me fait peur. Avant ma naissance, il savait ce qui se passerait. Il savait comment je finirais. Tout est fini. Je suis perdu.

BRUCE DOUGLAS

Êtes-vous fou, Philip?

PHILIP ANDERSON

Qu'ai-je dit? Hein? Pourquoi me regardez-vous ainsi?

BRUCE DOUGLAS

Vous êtes troublé, Philip. C'est ma faute et je le regrette, mais vous oublierez tout cela et le temps ramènera la paix en vous. Me pardonnez-vous ?

PHILIP ANDERSON

Oui, oui.

BRUCE DOUGLAS

Je ne vous demande pas autre chose aujourd'hui que de garder quelque temps encore ce malheureux Joël. Avant un mois, je lui aurai trouvé une situation en Écosse, dans une banque dont je connais le directeur. Ne soyez pas dur envers ce garçon qui ne vous a rien fait, me le promettez-vous ?

PHILIP ANDERSON

Oui, oui.

(Douglas se lève. Philip Anderson aussi, un peu mécaniquement.)

BRUCE DOUGLAS

Je vous quitte, Philip, mais je reviendrai un jour. Donnons-nous la main comme deux amis, deux vrais amis qui se sont retrouvés, un peu plus loin sur la route.

(Ils se serrent la main.)

Non, ne m'accompagnez pas.

> *(Il sort. Philip Anderson referme la porte. Un silence, puis entre Lucile.)*

LUCILE

Je guettais le départ de ce monsieur pour venir vous parler. Qui était-ce? Il m'a rappelé mon oncle Bruce.

PHILIP ANDERSON, *sombre.*

Qu'as-tu à me dire?

LUCILE

Ma foi, je ne sais plus. Quand vous me regardez comme ça, j'ai l'impression que je vais passer un examen. Vous avez un air si bizarre.

PHILIP ANDERSON, *radouci.*

Ma petite Lucile, viens près de moi. Tiens, ai-je encore mon air bizarre?

LUCILE

Plus du tout. Vous êtes père de nouveau, avec sa belle cravate et sa figure qui sent l'eau de Cologne!

> *(Elle l'embrasse.)*

PHILIP ANDERSON

Cela me fait plaisir que tu me fasses cette petite visite...

LUCILE

Mais il ne faudrait pas que les autres nous voient, vous savez! L'autre jour, oncle John a dit que nous étions gênants quand nous étions ensemble. Vous ne l'avez pas entendu?

PHILIP ANDERSON, *riant*.

Non. John est un peu gourmé. Il n'aime pas qu'on s'extériorise, comme il dit.

LUCILE

Pourquoi trouve-t-il que nous sommes gênants? Qu'est-ce qu'il veut dire?

PHILIP ANDERSON

Oh, ce sont des idées à lui.

(*Bref silence.*)

Le freluquet ne t'a pas écrit?

LUCILE

Je vous l'aurais dit, voyons. Ne vous ai-je jamais rien caché?

PHILIP ANDERSON

Bravo. Peut-être finira-t-il par comprendre qu'il ne t'intéresse pas le moins du monde. N'est-ce pas que ce petit capitaine n'intéresse pas ma Lucile?

LUCILE

Oh, vous pensez bien ! Il ne me parle que de ses chevaux. Oncle John trouve cela tout à fait naturel. Il dit que c'est parce que le capitaine est timide et qu'il n'ose pas parler d'autre chose.

PHILIP ANDERSON

Ah bas ! C'est un nigaud, voilà tout. Est-il assez ridicule avec ses petits favoris blonds et ses petits compliments bien sages, bien amidonnés ! Je ne te vois pas du tout mariée à Killigrew. Laisse-moi voir.

(Il recule un peu et la regarde.)

Mrs. Killigrew ! Ça ? Impossible !

(Tous les deux éclatent de rire.)

LUCILE

Je vais vous avouer quelque chose. C'est peut-être très mal. Oui, enfin voilà : j'ai écrit au capitaine, sans consulter personne.

PHILIP ANDERSON

Tu as écrit au capitaine ? Et pour lui dire quoi ?

LUCILE, *se balançant*.

Pour lui dire... pour lui dire que... non !

PHILIP ANDERSON

Non? Tu as fait ça? Tu lui as dit que c'était fini, en somme?

LUCILE

Oui. C'est terrifiant, n'est-ce pas?

PHILIP ANDERSON, *riant*.

Oh! Oh! Tu vas te faire attraper! Tu vas te faire attraper par John et par Edith.

LUCILE

Mais pas par toi?

PHILIP ANDERSON, *sévérité feinte*.

Par moi aussi. Comment, mauvaise fille, on vous trouve un joli mari avec une petite moustache dorée et une taille de demoiselle et vous n'en voulez pas? Je vous attrape! En vérité, je vous attrape tant que je peux!

(Ton naturel.)

Allons, tu as bien fait. Je reconnais là le sang de ton père. Quand on a une idée en tête, il faut la suivre jusqu'au bout.

(Bref silence.)

Dis-moi, où est ce petit... David? Il a une façon curieuse de disparaître après les repas.

LUCILE

Vous avez dit que vous ne vouliez pas le voir. C'est peut-être à cause de cela.

PHILIP ANDERSON

Te parle-t-il quelquefois?

LUCILE

Rarement, puisque vous avez dit que vous ne le vouliez pas.

PHILIP ANDERSON

Mais il trouve cependant l'occasion de te dire quelques mots?

LUCILE

Quelques mots, oui.

PHILIP ANDERSON, *gravement*.

Lucile, si ce garçon te faisait la cour, tu me le dirais?

LUCILE

Lui? Oh, père, je vous le jure! David me faire la cour! Il n'y songe pas.

PHILIP ANDERSON

On ne peut jamais savoir. Les garçons d'aujourd'hui sont si sournois. Il ne t'a jamais glissé un bras autour de la taille, même innocemment, comme on fait au bal?

LUCILE, *elle se lève instinctivement*.

Mais non, père, jamais.

PHILIP ANDERSON, *violence subite*.

Si ce garçon te faisait la cour, je le tuerais. Je prendrais le revolver qui est dans ce tiroir et je l'abattrais.

(Silence.)

Pourquoi restes-tu debout?

LUCILE

Je ne sais pas. Vous me faites peur.

(Elle s'assoit.)

PHILIP ANDERSON, *radouci et étonné*.

Moi, je t'ai fait peur? Mais comment cela? Tu rêves, Lucile. Qu'ai-je dit? De quoi parlions-nous, au fait?

LUCILE

De David, père.

PHILIP ANDERSON, *sombre*.

Celui-là va partir un de ces jours. Il va quitter Edgware Place et on ne le reverra plus ici, et ce sera fini.

LUCILE

David s'en aller? C'est dommage. Il nous manquera. Il était gentil.

PHILIP ANDERSON, *douceur sournoise.*

Ah, tu le trouves gentil? Il te parle, il te dit des choses qui t'amusent peut-être. Il dit des choses que d'autres ne disent pas...

LUCILE, *inquiète.*

Oui, quand je le vois — mais je ne le vois guère, et à table il ne dit pas un mot.

(*Elle se lève.*)

Qu'est-ce qu'il y a?

PHILIP ANDERSON, *fureur subite.*

Pourquoi ne mets-tu jamais ta robe bleue? Pourquoi ne m'obéis-tu jamais, jamais?

(*Il se lève.*)

LUCILE

Ma robe bleue, père? Je voulais la mettre, mais c'est Edith qui m'a dit de ne plus la porter parce qu'elle ne m'allait pas.

PHILIP ANDERSON

Edith! Ils sont donc tous contre moi, tous!

(Il sort. Lucile s'abat sur le canapé et pleure. Un temps. Puis entre à pas de loup David Grey par une autre porte que celle par où est sorti Philip Anderson.)

DAVID GREY

Vous pleurez, Lucile?

LUCILE, *tressaillant*.

Mais non, je ne pleure pas. Quelle idée bizarre! Et que faites-vous ici, David? Vous savez très bien que mon père ne veut pas qu'on nous voie dans cette pièce. S'il nous y trouvait comme la dernière fois, ce serait terrible.

DAVID GREY

Je l'ai vu s'éloigner dans le parc. Nous avons quelques minutes. Songez que nous sommes seuls pour la première fois depuis quinze jours et que nous avons des choses à nous dire.

LUCILE

Je n'ai rien à vous dire, David. J'ai trop peur.

DAVID GREY, *s'approchant d'elle*.

Mais maintenant, vous avez moins peur. J'ai rêvé à vous cette nuit, Lucile. Nous étions tous les deux dans cette pièce, car c'est toujours ici qu'aboutissent mes rêves, et c'est ici que je vous retrouve, comme si nous avions rendez-vous entre ces murs, là même où nous sommes assis.

LUCILE

David, je n'aime pas ce que vous dites. J'ai l'impression que ça n'est pas bien de parler ainsi.

DAVID GREY

Qu'ai-je dit qui vous offense? Ne pensez-vous jamais à moi quand vous êtes seule?

LUCILE

Oh, si!

DAVID GREY

Eh bien, comme je pense toujours à vous, il arrive des moments où nous pensons l'un à l'autre en même temps. Dans ces moments-là, nous sommes ensemble.

LUCILE, *riant*.

Oui, d'une certaine manière.

DAVID GREY

Mais il ne me suffit pas de savoir que vous êtes à côté de moi par la pensée. Il faut que je vous voie, Lucile, il faut que j'entende votre voix et que vous me regardiez. Vous ne voulez pas me regarder?

LUCILE

Si. Tenez, je vous regarde!

DAVID GREY

Pourquoi avez-vous l'air si triste?

LUCILE

Père a dit que vous alliez partir.

DAVID GREY

Oh, non! Je ne partirai pas. Mais pourquoi vous a-t-il dit cela?

LUCILE

Je ne sais pas. Il était en colère contre vous parce que j'avais dit que vous étiez gentil. Il était aussi en colère parce que je n'avais pas mis ma robe bleue.

DAVID GREY

Je ne partirai jamais d'ici.

LUCILE

Me le promettez-vous?

DAVID GREY

Je vous le jure. Je me cacherai au fond d'une

grange ou dans les bois, mais je serai là et nous nous verrons en cachette.

LUCILE

Et si l'on vous découvre et qu'on vous force à partir?

DAVID GREY

Alors nous nous enfuirons tous les deux.

LUCILE

Oh, je ne pourrais pas quitter Edgware Place à cause de mon père. Je ne pourrais pas quitter mon père.

DAVID GREY

Vous me laisseriez partir?

LUCILE

Non. Cela non plus n'est pas possible. Mais il arrivera quelque chose et vous resterez.

(Silence.)

Vous n'allez pas vous moquer de moi? Je veux toucher votre visage avec la main. Hier j'étais seule et je pensais que je voulais toucher vos oreilles et vos joues parce qu'elles ont l'air tellement douces.

*(Elle pose la main
sur le visage de David Grey.)*

DAVID GREY

Vous ne voulez pas m'embrasser, Lucile?

LUCILE

Oh, David, ce serait ridicule! Il n'y a que les amoureux qui s'embrassent.

> *(Il l'embrasse de force, rapidement. Elle pousse un cri.)*

Oh, pourquoi avez-vous fait cela? Maintenant je ne vous aime plus, David.

DAVID GREY

Mais moi, je vous aime. Quand je suis seul, je vous parle, je vous force à venir près de moi. Je n'ai qu'à fermer les yeux et vous êtes là. Vous ne pouvez pas m'échapper et c'est alors que vous pensez à moi et que vous touchez mon visage.

> *(Il la prend dans ses bras; elle se débat un peu et met enfin sa joue contre celle de David.)*

LUCILE, *tendrement*.

Je ne vous aime pas, David, je ne vous aime pas.

> *(Ils restent un très court moment enlacés, puis on entend un bruit de pas.)*

Oh, David, c'est terrible : on vient. Sauvez-vous.

(Ils se séparent.)

DAVID GREY

Il est trop tard, mais ne craignez rien.

(Entre Mrs. Anderson.)

MRS. ANDERSON

Je ne m'attendais pas à vous trouver ici, David, mais puisque vous êtes là, restez un instant. Vous devez vous ennuyer dans votre chambre et ces promenades solitaires que vous faites dans la campagne doivent vous sembler mélancoliques.

DAVID GREY

Madame, je serais bien ingrat de me plaindre. Edgware Place m'est devenu aussi cher qu'une personne que j'aimerais de tout mon cœur.

MRS. ANDERSON

Ah? Vous n'êtes pas le seul à vous être épris de la vieille maison. Je crains qu'il ne vous soit pénible de la quitter.

DAVID GREY

Franchement, c'est une pensée à laquelle je ne puis m'arrêter.

MRS. ANDERSON

Jeune homme, il faudra cependant vous y faire. Sans vouloir vous mettre à la porte, je dois vous rappeler que vous nous faites le bonheur d'habiter chez nous depuis plus d'un mois, et le chemin de la vie est là qui vous attend, à la grille du parc. Songez-y un peu, s'il vous plaît — de temps en temps.

DAVID GREY

Avec votre permission, je vais y songer dans ma chambre.

MRS. ANDERSON

Voilà une idée magnifique.

(David Grey sort.)

Lucile, tu es amoureuse de ce garçon.

LUCILE

Oh, non. Je ne suis amoureuse de personne.

MRS. ANDERSON

Tu peux te confier à moi. Je ne suis pas ta mère. Je suis comme ta sœur aînée. Je ne trahirai pas tes secrets.

LUCILE

Des secrets? Je n'ai pas de secrets.

MRS. ANDERSON

Ce que je vais te dire te surprendra peut-être. Ton oncle John vient de me dire qu'il avait croisé ton père, il n'y a qu'un instant, dans le parc. Il paraît que tu as écrit au capitaine Killigrew pour lui rendre sa parole. Je trouve que tu as bien fait. Tu ne l'aimes pas. C'est une faute et une sorte de cruauté d'épouser quelqu'un qu'on aime pas, quelqu'un dont on n'est pas vraiment épris — et qui est condamné à souffrir. Comprends-tu?

LUCILE

Mais oui.

MRS. ANDERSON

Non, tu ne comprends pas, tu ne comprends pas bien, heureusement pour toi. Tu es trop jeune, tu n'as pas souffert. La vie t'épargne. On dirait qu'elle hésite devant une certaine innocence. Mais oublions cela. Nous te trouverons un autre mari.

LUCILE

Oh, non. Je vous en supplie. Laissez-moi tranquille avec vos maris! Je suis très bien ici, à Edgware Place, avec père et tout le monde.

MRS. ANDERSON

C'est justement de ton père que je voulais te parler. Tu l'aimes profondément.

LUCILE

Bien sûr. Ce n'est même pas la peine de le dire. Tout le monde sait que je l'adore.

MRS. ANDERSON

Tu as raison, Lucile, il n'y a pas de meilleur homme au monde.

LUCILE

Ni de plus beau.

MRS. ANDERSON

Ni de plus beau.
(Elle se mouche.)

LUCILE

Pourquoi pleurez-vous?

MRS. ANDERSON

Ne sois pas ridicule. Je me mouche. N'a-t-on plus le droit de se moucher maintenant?
(Elle éclate en sanglots.)

LUCILE

Oh! qu'avez-vous?

MRS. ANDERSON

Je pleure, en effet. Mais c'est fini, tu vois. Lucile, on te parle toujours comme à une enfant. Je vais te parler comme à une grande personne. Il faut que tu saches que je suis un peu inquiète au sujet de ton père.

LUCILE

Oh, j'aimerais mieux que vous ne me disiez rien. Quand les grandes personnes se mettent à dire certaines choses, les malheurs arrivent.

MRS. ANDERSON

Qui te parle de malheur? Je veux au contraire nous épargner à tous un événement désagréable.

LUCILE

Père n'est pas malade?

MRS. ANDERSON

Malade, non. Grâce au Ciel. Mais il a besoin qu'on s'occupe de lui, qu'on le distraie. Je crains qu'il ne s'ennuie un peu, quelquefois. C'est pour cela qu'il s'en va de la maison, et qu'il revient si tard. Et quand il est seul, il rumine certaines pensées qui l'attristent. Il n'est pas bon qu'il soit seul.

LUCILE

Pauvre père!

MRS. ANDERSON

Tout à l'heure, lorsqu'il t'a parlé, est-ce qu'il t'a paru tranquille, ou soucieux?

LUCILE

Tranquille? Soucieux d'abord, puis très gai. Oh, nous avons plaisanté! Il est délicieux quand il est gai, père. Et tout à coup, il a été de mauvaise humeur. Je ne sais pourquoi. Cela m'a fait de la peine.

MRS. ANDERSON, *après un silence*.

Veux-tu que toi et moi nous l'aidions?

LUCILE

Que nous l'aidions?

MRS. ANDERSON

Que nous l'aidions à être heureux...

LUCILE

Qu'il ne s'ennuie plus, qu'il ne soit plus triste?

MRS. ANDERSON

Exactement. Ainsi, je crois que tout à l'heure

il va faire une de ces promenades que je n'aime pas, parce qu'il en revient déprimé, nerveux.

LUCILE

Il n'ira pas. Regardez : il pleut.

MRS. ANDERSON

La pluie ne l'a jamais arrêté. Il ira certainement, à moins qu'on ne le fasse changer d'avis. Je le connais trop bien, ma petite Lucile, je ne m'y trompe pas. Cet après-midi, il a reçu une visite qui l'a indisposé, je le crains.

LUCILE

Qui était-ce?

MRS. ANDERSON

Un homme d'affaires. Ce sont des histoires auxquelles tu ne pourrais rien comprendre. Quoi qu'il en soit, je voudrais que tout à l'heure, tu restes avec lui, et que tu lui parles — oh, avec toute la gentillesse dont tu es capable. Il t'est profondément attaché. Je pense qu'il n'y a personne au monde qu'il aime plus que toi.

LUCILE, *flattée*.

Vous croyez, vraiment?

MRS. ANDERSON

Je ne te le dirais pas si je n'en étais pas sûre.

Et si quelqu'un peut le retenir ici, ce soir, c'est toi. Tu peux l'empêcher de sortir. Je sens que si nous l'empêchons de sortir, nous aurons gagné la bataille.

LUCILE

Une bataille? C'est donc si important, ce soir?

MRS. ANDERSON

Oui, très important.

LUCILE

Mais demain il voudra peut-être de nouveau s'en aller seul.

MRS. ANDERSON

S'en aller seul... Chaque jour nous devons gagner la bataille, Lucile.

LUCILE

Je serai aussi gentille que possible, mais de quoi lui parlerai-je?

MRS. ANDERSON

Les choses qu'on dit n'importent guère. Ce qui importe, c'est d'être là... de l'aimer...

LUCILE

Alors, je suis tranquille.

MRS. ANDERSON

Il faudra surtout ne le contrarier en rien, te souvenir qu'aujourd'hui il a reçu une sorte de choc. Oui, c'est cette visite dont je t'ai parlé et qui l'a ennuyé. Peut-être l'as-tu remarqué : depuis quelque temps, il revient ici au crépuscule — tiens, vers cette heure-ci, quand la lumière hésite.

LUCILE

Vers cette heure-ci? Non. Je ne savais pas.

MRS. ANDERSON

Dans ces moments-là, il préfère être seul. Si quelqu'un se trouve ici, il s'en va.

LUCILE

Mais pourquoi?

MRS. ANDERSON, *elle hésite un peu.*

Comment le savoir? C'est un peu son secret, comprends-tu? Sans doute y a-t-il dans la journée quelques minutes où il pense plus particulièrement... à ta mère. Oui, je l'ai aperçu, il n'y a pas très longtemps, par cette porte qui était restée entrouverte. Il était debout, devant ce portrait.

LUCILE

Est-ce pour cela qu'il est si triste?

MRS. ANDERSON

Je pense qu'en effet, c'est à cause de cela.

LUCILE

Mais autrefois, il n'était pas aussi triste.

MRS. ANDERSON

Non.

LUCILE

Je voudrais tant pouvoir lui dire quelque chose qui lui fasse plaisir.

MRS. ANDERSON

L'occasion t'en sera donnée aujourd'hui. Tu trouveras, j'en suis certaine. Mais il ne faut pas que tu sois ici quand il entrera, autrement...

LUCILE

Oui. Il s'en irait.

MRS. ANDERSON

Un peu plus tard seulement, quand il sera en train de réfléchir, tu te glisseras dans cette pièce et tu resteras avec lui. Moi, je serai en bas, dans le petit salon du rez-de-chaussée.

(Elle regarde la porte.)

Pourquoi n'est-il pas encore là? Embrasse-moi, ma petite Lucile. C'est une sorte de mission que je te confie.

LUCILE

Une mission?

MRS. ANDERSON

Oui, l'heure qui va s'écouler est très importante pour ton père comme pour nous tous. Je compte beaucoup sur toi.

(Elle l'embrasse.)

LUCILE

Vous pouvez être sûre que je ferai de mon mieux. Mais ne sera-t-il pas mécontent de me voir? Ne se sauvera-t-il pas?

MRS. ANDERSON

J'espère que non. Je ne le crois pas. J'espère... Oh, il me semble qu'on vient. Allons-nous-en.

*(Elles se retirent.
Entre Philip Anderson.)*

PHILIP ANDERSON

Personne. C'est bien. Où sont-ils tous? Où est Lucile... Où est...

(Silence.)

Si tu pouvais entrer, toi qui n'es jamais ici et qui pourtant ne me quittes jamais ! Si cette porte pouvait s'ouvrir, et que je te voie ! Tu croyais aux miracles, Evangéline. Cela faisait partie de cette foi qui me paraissait si étrange et que souvent, je t'enviais... Il me semble que si tu étais là, je saurais enfin te parler. Je ne te tourmenterais plus. Ma jalousie est morte, Evangéline. Les paroles qu'il aurait fallu te dire, je les trouverais maintenant, j'en suis sûr.

(Il va vers la fenêtre.)
(La porte s'ouvre. Entre Lucile.)

Oh, c'est toi.

LUCILE

Oui. Edith m'a demandé de vous tenir compagnie.

PHILIP ANDERSON, *calme*.

D'ordinaire elle n'aime pas que nous soyons ensemble. Elle reste ici avec moi, sans rien dire, pendant des heures, et tout en lisant ou en travaillant à son ouvrage, elle m'observe, elle m'épie. Cela lui déplaît que tu viennes ici.

LUCILE

Elle sait pourtant que je suis venue tout à l'heure, et elle ne m'en a pas voulu, au contraire.

PHILIP ANDERSON

Tu ne la connais pas. Elle est jalouse.

LUCILE

Oh, c'est extraordinaire, ce que vous dites là. Jalouse de qui?

PHILIP ANDERSON

Mais jalouse de toi, Evangéline.

LUCILE, *riant*.

Vous m'appelez encore Evangéline!

PHILIP ANDERSON

Si tu savais comme ma bouche est heureuse de dire ce nom!

(Il lui prend la main.)

LUCILE

Qu'est-ce que vous faites? Laissez-moi, père!

*(Elle se dégage.
Philip Anderson la regarde.)*

PHILIP ANDERSON

Ah!

(Lucile sort en courant. Philip Anderson étend les bras devant lui, comme un aveugle.)

Où est-elle?

> *(Il sort. La scène reste vide un instant; la porte est restée ouverte; paraît Mrs. Anderson qui se tient immobile sur le seuil.)*

MRS. ANDERSON, *à mi-voix*.

Ils sont partis tous les deux... Si Lucile n'est pas avec lui... Oh, ce n'est pas possible! D'en bas, je les entendais aller et venir au-dessus de ma tête. A peine sont-ils restés un instant... Si Lucile est avec lui, il est sauvé.

> *(Elle va vers la fenêtre et s'arrête en voyant tout à coup entrer David.)*

Que voulez-vous, David?

DAVID GREY

Madame, je ne m'attendais pas...

MRS. ANDERSON

Vous cherchiez Lucile, n'est-ce pas?

DAVID GREY

J'avoue qu'en effet...

MRS. ANDERSON

Et vous ne l'avez pas trouvée.

DAVID GREY

Non, je ne sais où elle est.

MRS. ANDERSON, *soulagée*.

Alors cela vous surprend de me voir ici, car vous pensiez y rejoindre Lucile, mais mon mari vous a joué un tour : il est sorti avec elle.

DAVID GREY

Avec Lucile, par ce temps?

MRS. ANDERSON, *vivement*.

Et pourquoi pas? Ils n'ont pas peur de quelques gouttes d'eau. Si cela leur plaît de faire une petite promenade avant dîner... Vous avez l'air si déçu, mon pauvre David. Savez-vous que ce n'est pas très gentil pour moi?

DAVID GREY

Excusez-moi.

MRS. ANDERSON

Oh, je plaisantais, mais mon mari ne veut pas que vous veniez par ici et que vous cherchiez à voir sa fille. Il a dû vous le dire.

DAVID GREY

Oui, c'est vrai. Il me l'a dit.

MRS. ANDERSON

Vous pensez bien qu'il n'est pas aveugle et qu'il se rend parfaitement compte de vos sentiments pour Lucile.

DAVID GREY

Sans doute. J'espère cependant...

MRS. ANDERSON

Vous espérez quoi? Que mon mari change d'attitude et qu'il vous donne sa fille en mariage?

(David fait un geste.)

Enfin n'est-ce pas cela que vous avez en tête? Eh bien, non! Je ne crois pas à ce genre de miracle. Autant vous le dire tout de suite.

(Silence.)

Je regrette de vous faire de la peine. Vous avez l'air atterré, vraiment, mais mon mari a de bonnes raisons pour agir comme il le fait.

(Entre Millin.)

Qu'y a-t-il, Millin?

MILLIN

Madame, dois-je servir à l'heure habituelle?

MRS. ANDERSON

Mais naturellement. Votre question n'a pas de sens.

MILLIN

C'est que Monsieur est sorti.

MRS. ANDERSON

Cela n'a rien d'extraordinaire. Monsieur sera de retour dans un moment. Vous sonnerez la cloche à huit heures moins le quart, comme d'habitude.

(Millin demeure immobile et semble sur le point de dire quelque chose.)

Qu'attendez-vous?

(Millin s'incline et sort en fermant la porte. Silence. A David.)

Pourquoi ne dites-vous rien?

(Elle rit.)

Vous restez là sans bouger. Voulez-vous fermer cette fenêtre? Je n'aime pas le bruit que fait la pluie dans les arbres.

(David va pour fermer la fenêtre.)

N'avez-vous pas entendu quelque chose?

DAVID GREY, *près de la fenêtre.*

Entendu... quoi?

MRS. ANDERSON

Le pas de quelqu'un dans l'allée.

DAVID GREY, *il se penche par la fenêtre.*

Non, il n'y a personne.

MRS. ANDERSON

Ne fermez pas cette fenêtre. J'aime mieux qu'elle reste ouverte.

(*Silence.*)

Vous ne connaissez pas bien mon mari, David. C'est un homme difficile à comprendre, mais bon. Seulement il ne faut pas le heurter et je crains que sans le vouloir, vous ne l'irritiez... Vous a-t-il jamais parlé de moi? Oh, je ne sais pourquoi je vous demande cela. C'est un peu absurde, à la vérité.

(*Elle s'assoit.*)

David, êtes-vous réellement amoureux de Lucie?

DAVID GREY

Amoureux? Mais, madame, je ne me sens vivre que lorsque je la vois. Le reste, c'est du temps qui ne compte pas, du temps qui est ôté à la vie. Souffrir, ce n'est pas vivre.

MRS. ANDERSON

Oh, si.

DAVID GREY

Vivre, pour moi, c'est uniquement me trouver près d'elle.

MRS. ANDERSON

Lui avez-vous dit tout cela?

DAVID GREY

Si je le lui ai dit? Mais je ne sais pas... Je ne sais jamais exactement de quoi nous parlons. Il me semble que cela n'a pas beaucoup d'importance. Ce qui est important, c'est ce que je lis dans ses yeux et ce qu'elle lit dans les miens. Les mots sont toujours en retard...

(Il rit.)

Vous comprenez?

MRS. ANDERSON

Enfin, lui avez-vous dit que vous l'aimiez?

DAVID GREY, *très gravement*.

Oui, je le lui ai dit.

MRS. ANDERSON, *se levant tout à coup*.

Il faut qu'elle en soit sûre. Il faut qu'on nous dise qu'on nous aime. Notre bonheur, à nous, c'est cela. Être aimée, David. Être préférée à tout au monde... Si quelque chose peut nous aider à supporter la vie avec ses trahisons et les larmes qu'elle nous arrache, c'est l'amour. Vous pensez bien que si une femme n'est pas aimée, sa vie sur terre n'a aucun sens et rien ne veut plus rien dire. Croyez-vous qu'une femme accepterait l'épouvantable ennui de la vie quotidienne si elle n'était pas sûre d'être aimée? A quoi est-ce que cela rime de tenir une maison, de se lever, de s'habiller, de se nourrir, de parler aux gens, enfin de jouer cette longue comédie si personne n'est là pour nous dire qu'il nous aime, parce que cela au moins, c'est vrai, et ce qui est vrai, c'est que nous existions pour quelqu'un, que lorsque nous entrons dans une pièce, il y ait un visage qui s'éclaire et un sourire de bonheur dans les yeux d'un homme. Et si nous ne savons pas qu'il nous aime, si le doute s'installe dans notre tête et dans notre cœur, nous mourons, David, nous mourons parce qu'une parole n'est pas dite qui aurait pu nous faire vivre.

*(Elle se détourne un peu
et incline la tête.)*

DAVID GREY

Je le sais, madame. Je le sais depuis que je suis dans cette maison.

MRS. ANDERSON, *elle tressaille
et se retourne vers David.*

Ah? Que voulez-vous dire?

DAVID GREY

Je ne me connaissais pas avant d'entrer ici. Depuis que j'ai vu Lucile, j'ai compris pourquoi je suis au monde.

MRS. ANDERSON

Pourquoi vous êtes au monde... C'est étrange. Moi aussi, je me demande pourquoi je suis au monde, mais je ne le sais plus. Je le comprendrais seulement si cette porte pouvait s'ouvrir et si Philip...

DAVID GREY

Qu'avez-vous, madame?

MRS. ANDERSON

Rien. Je suis impatiente, David. Je veux que cette porte s'ouvre et que mon mari entre dans cette pièce. Le jour baisse. Il est tard.

(Rire forcé.)

Le dîner attend, il ne sera plus bon et Philip se plaindra... mais je veux qu'il se plaigne. Cela me fera plaisir. Je veux...

(Deux coups de cloche assez doux et un peu espacés. Silence.)

Pourquoi me regardez-vous? Laissez-moi seule. Je vais descendre dans un instant.

(David fait mine de se diriger vers la porte.)

Oh, David, il me semble qu'on vient!

(La porte s'ouvre; paraît Lucile; Mrs. Anderson qui s'élançait vers la porte s'arrête et regarde Lucile qui demeure interdite.)

Où est Philip?

LUCILE

Mais je ne sais pas. Je l'ai quitté tout à l'heure pour aller dans ma chambre.

MRS. ANDERSON

Tu l'as quitté... Vous n'êtes pas sortis ensemble?

LUCILE

Non. Papa est sorti?

MRS. ANDERSON

Laisse-moi passer.

(Elle fait un geste comme pour écarter Lucile et gagner la porte; entre John Anderson.)

JOHN ANDERSON, *à Mrs. Anderson,
après un coup d'œil vers Lucile et David.*

Éloignez les enfants. J'ai à vous parler.

> *(Mrs. Anderson tourne vivement la tête vers David et Lucile, puis vers John. Les deux jeunes gens s'éloignent en remontant vers le fond de la pièce; ils se tiennent par la main comme si la phrase de John Anderson avait vraiment fait d'eux des enfants.)*

J'ai demandé qu'on attelle le cabriolet, Edith. Il faut que j'aille là-haut.

MRS. ANDERSON

Pourquoi? Pourquoi me dites-vous cela, John, avez-vous appris quelque chose?

JOHN ANDERSON, *rapidement.*

Je n'ai rien appris. Je ne sais rien, mais je vais là-haut dans un instant. Edith, on a beau prévoir les événements pendant des années, on est toujours stupéfait quand ils arrivent. Je ne sais pas pourquoi on ne les reconnaît pas.

(Entre Millin.)

MILLIN, *à John Anderson.*

Monsieur, le cabriolet...

JOHN ANDERSON

C'est bien. Je descends.

(Millin sort.)

MRS. ANDERSON,
secouant John Anderson par le bras.

Où allez-vous?

JOHN ANDERSON

Je vous l'ai dit.

MRS. ANDERSON

Vous allez chercher Philip?

JOHN ANDERSON, *légère hésitation.*

Oui.

MRS. ANDERSON

Il va revenir avec vous.

JOHN ANDERSON

Edith...

MRS. ANDERSON

Je ne peux plus attendre. Il faut que je vous accompagne.

JOHN ANDERSON

Vous ne le pouvez pas, Edith. Dans l'état où vous êtes...

MRS. ANDERSON, *elle lui saisit le bras.*

Je le veux.

JOHN ANDERSON

Ce serait une erreur dont vous vous repentiriez amèrement. Jamais encore je n'ai vu Philip aussi troublé qu'aujourd'hui. Si, comme je l'espère, il est en vie, votre émotion pourrait lui faire un mal irréparable. Restez ici. Dans un quart d'heure nous serons de retour.

MRS. ANDERSON

Un quart d'heure ! Comment voulez-vous que je le vive, ce quart d'heure ?

JOHN ANDERSON

Il le faut. Je vous le demande en son nom. Chaque seconde est précieuse, Edith.

MRS. ANDERSON, *subitement.*

Allez. Allez vite.

*(John Anderson sort.
Mrs. Anderson regarde David et Lucile.)*

Pourquoi ce silence ?

(David et Lucile demeurent immobiles.)

De quoi avez-vous peur ? De moi ?

(On entend le cabriolet qui s'en va.)

Ce bruit de roues qui tournent sur le gravier, comme il me fait mal! J'aurais dû... Mais ils vont revenir tous les deux... Qu'aurais-je dû faire pour empêcher... On ne peut pas. On ne peut rien.

(Elle sort en courant.)

LUCILE

Dites quelque chose, David. Dites n'importe quoi qui m'empêche de réfléchir. J'ai mal. Est-ce que cette horrible nuit ne finira jamais?

DAVID GREY

N'ayez pas peur, Lucile. Si le malheur vient, il passera près de nous.

LUCILE

Non. Il me frappera, moi. Il est autour de la maison et il tâtonne comme un aveugle qui cherche la porte. Je me sauve devant lui. Je me sauve devant la mauvaise nouvelle, d'une pièce dans une autre, dans l'escalier, dans les couloirs, mais elle finira par me trouver.

LUCILE

Je voudrais que le temps s'arrête, parce qu'il n'y a encore rien eu. Tant qu'on n'aura rien dit, il n'y aura rien eu. Ce sont les paroles qui font exister le malheur.

DAVID GREY

Tout est derrière nous, Lucile, tout ce qu'il y avait de noir à Edgware Place. La menace qui pesait sur nous tous se lève.

LUCILE

Personne ne touche au dîner, David, et quand personne ne mange, c'est que quelqu'un est mort.

DAVID GREY

Je vous aime et vous tiens dans mes bras, Lucile. A nous deux, nous pouvons affronter la mort. L'amour est fort comme la mort. Soyez brave.

LUCILE

Je ne suis pas brave, je ne sais pas ce que c'est que la mort, ni comment on lui tient tête. Je n'ai jamais vu de mort de ma vie. Quand maman est morte, on m'a envoyée loin d'ici. Je n'ai rien su que beaucoup plus tard. Oh, David, allons ailleurs !

(Elle s'échappe de ses bras et court de côté et d'autre.)

J'ai peur de ces deux portes dont l'une va s'ouvrir. Alors quelqu'un entrera et dira quelque chose que je ne veux pas entendre.

DAVID GREY

M'aimez-vous, Lucile?

LUCILE

Oh, David, vous savez bien que je vous aime, mais si vous m'aimez, faites que rien n'arrive de terrible.

DAVID GREY

Je ne suis pas Dieu.

LUCILE

Il faut être Dieu quand la mort est là.

DAVID GREY

Venez ici.

LUCILE

Qu'allez-vous faire?

DAVID GREY

Obéissez.

(Lucile va vers lui. Il lui prend la main.)

Vous êtes à moi comme je suis à vous. Si noire que soit cette minute, elle est le commencement de notre vie, car la mort est venue et la mort est passée, et c'est moi qui vous reste, moi seul.

> *(Il la serre sanglotante contre lui et elle s'abandonne. Presque au même instant, on entend des cris qui viennent du parc.)*

VOIX DE MRS. ANDERSON

Où es-tu? Philip! Philip!

LUCILE

David! Oh, qu'est-ce que c'est? Qui appelle-t-elle?

DAVID GREY

Viens avec moi!

> *(Il l'entraîne et sort avec elle par la gauche. La scène reste vide un assez long moment pendant qu'on entend la voix de Mrs. Anderson qui va d'un point à un autre dans le parc, puis monte l'escalier. Enfin la porte s'ouvre. Entre Mrs. Anderson, hagarde.)*

MRS. ANDERSON, *à mi-voix.*

Où es-tu? Où est-il? D'ordinaire, il est ici. A cette heure de la nuit, il est assis là, dans ce fauteuil, avec un livre, mais il ne lit pas, il fait semblant et il pense à elle. Mais c'est bien. Qu'il soit là et qu'il pense à elle, je n'en demande pas plus, je ne veux pas autre chose. Qu'il soit là. C'est cela seulement que je veux cette nuit. Tu ne parleras pas. Je passerai près de toi et tu ne me verras pas, mais tu seras là malgré tout, et si tu es là, tout est bien. Alors, voilà ma prière, cette nuit : Seigneur que rien ne change ici. Je ne me plaindrai plus, je vous le promets. Je vous supplie humblement de me rendre ce que je prenais pour mon malheur. Il n'y avait pas de malheur, puisqu'il était là et qu'il respirait près de moi. Je ne souffrais pas, je croyais souffrir, mais j'étais heureuse, puisqu'il était là. Seigneur, rendez-moi ma souffrance d'hier et de ce matin et j'en ferai du bonheur, mon inquiétude d'hier et de ce matin, et j'en ferai ma paix. Que John revienne avec mon mari et je serai contente, je vous le promets, je ne vous demanderai plus rien, je ne serai plus la même femme, je pleurerai de joie et de reconnaissance, et je vous aimerai, mon Dieu. J'ai été ingrate, mais je ne le serai plus, je vous le promets...

> (*La porte s'ouvre. John Anderson se tient sur le seuil et baisse la tête. Mrs. Anderson pousse un cri.*)

Non !

JOHN ANDERSON

Edith !

> *(Il avance d'un pas. Mrs. Anderson étend les bras vers lui comme pour le repousser et s'éloigne à reculons.)*

MRS. ANDERSON, *criant*.

Non ! Non !

> *(Il va vers elle; elle tombe évanouie dans ses bras.)*

RIDEAU

*Cet ouvrage
a été achevé d'imprimer sur les presses
de la*
LIBRAIRIE PLON
le 18 septembre 1956.

Dépôt légal : 4ᵉ trimestre 1956.
Mise en vente : Octobre 1956.
Numéro de publication : 7965.
Numéro d'impression : 7180.